D0528200

Plaidoyer pour une parole vivante

Louise Courteau, éditrice inc.
C.P. 636 Verdun
Montréal Qc, CANADA
H4G 3G6
tél: (514) 761.78.49

Distribution:
au **Canada:** **Québec-Livres** (514) 327.69.00
en **France:** Réplique-Diffusion
66 rue René Boulanger
75010 Paris
(1) 42.06.55.78

Design de la couverture: J.W. Stewart

ISBN: 2-89239-034-6
Dépôt légal:
troisième trimestre 1986
Bibliothèque nationale du Québec
Bibliothèque nationale du Canada
Bibliothèque nationale de Paris
Library of Congress, Washington D.C.

Plaidoyer pour une parole vivante

essai

Michel Muir

Louise Courteau
éditrice
Montréal Qc Canada

DU MÊME AUTEUR:

Poètes ou imposteurs?, essai, Louise Courteau, éditrice inc. Montréal, 1985. 176 pages.

Les épées de l'hiver, Poèmes, Éd. Saint-Germain-des-Prés, coll. À l'écoute des sources. Paris 1983. 104 pages.

Les jardins de l'Aujourd'hui, poèmes, Éd. Les Écrits des Forges, coll. Rivière. Trois-Rivières, 1984, 88 pages.

Je suis le sexe de Dieu, propos, Éd. La Pensée Universelle, coll. Essais. Paris, 1983. 256 pages.

L'Étreinte des sources, poèmes, Éd. Jean Grassin, coll. Poésie nouvelle. Paris, 1983. 72 pages.

Le Magicien, roman poétique, suivi de **À ma belle**, poèmes. Éd. Créations animées, coll. De l'inspiration. Sherbrooke, 1981. 150 pages.

J'adresse aux oiseaux, poésie en prose, Éd. Sherbrooke, coll. Chez la Muse. Sherbrooke, 1980. 115 pages.

Rieuse, fantaisies en prose, Éd. Naaman, coll. Création. Sherbrooke, 1979. 120 pages.

L'Entre-ligne, poèmes, Éd. Les Auteurs Réunis. Windsor, 1972. 80 pages.

Collaboration à l'Anthologie encyclopédique **La Mer**, tome 8. Éd. Jean Grassin. Paris, 1984. 480 pages.

Participation à différentes revues littéraires: Poésie 1, Passages, Les Cahiers du Hibou, Grimoire, Soc et Foc, À l'ombre des hautes Pruches.

À Gilles des Marchais

ce magicien de structures patientes
encloses dans la lampe qui veille
en l'étude où mûrit la mémoire lucide !

TABLE DES MATIÈRES

		page
Avant-dire	....	13
Chapitre premier:	*Grands fleuves de clarté !*	15
	Les Trois univers; rapports secrets; pont entre le visible et l'invisible; les idées forment le contenu de l'énoncé poétique; construire une pyramide	
Deuxième chapitre:	*Culture: savoir lire !*	21
	Définition normative de la culture; message structuré; consistance ontologique de l'oeuvre: l'intelligence, la mémoire et la sensibilité, composantes essentielles de l'Homme; quincaillerie folklorique; le génie est un don divin; la voyance; la mission: élever	
Troisième chapitre:	*L'inspiration !*	31
	L'infra-conscience, la conscience et la supra-conscience; l'âme est le corps subtil; l'enthousiasme; triple principe aristotélicien; poète: spécimen grotesque ou prophète?	
Quatrième chapitre:	*Parole, levain d'une société*	37
	Noble idéal; le poème prié; époque enfiévrée; l'éternité individuelle consciente; les paroles sanctifiées	

Cinquième chapitre: *Altitude intérieure* 41

Véritable désintoxication; charlatanisme contemporain; le divertissement; le culte de la surface; l'allégresse de l'apprentissage

Sixième chapitre: *L'effort est un levier* 45

S'octroyer des voluptés exquises avec des mots; l'Art est un déploiement de gemmes; «nuits de poésie»; la poésie est d'abord lecture; concision et fermeté; élitisme: aristocratie souveraine

Septième chapitre: *La sensibilité* 51

Sensibilité, fille de l'ouverture intérieure et mère de l'activité créatrice; les spécialistes de la zizanie générale; recrudescence de productions symboliques abstraites; renouvellement du poétique

Huitième chapitre: *Le curieux est fort* 57

Le fort est un roi; origines étoiliques de l'Homme; restaurer l'Art dans son authenticque perspective adamique; le corps possède des organes d'appréhension pourvus de grands pouvoirs; l'âme réclame ses aliments

Neuvième chapitre: *Un Art nuancé* 61

Savoir causer est un art délicat; l'image aplanit et nivelle; le banditisme poétique; une poésie messagère des multiples réels; parler, comme écrire, c'est célébrer un rite

Dixième chapitre: *En poésie: on ne choisit pas, on est choisi !* ... 69

Appelés ou élus?; la poésie pour l'homme ordinaire est une imposture; les poéticailleurs des puzzles; les poètes voient dans l'avenir; «ateliers d'écriture»

Onzième chapitre: *Ontologie ou épistémologie?* 73

La dimension englobante de l'ontologie; correspondances vibratoïdes; référentiel éthico-esthétique; méthodologie empirique dégrade le pratiquant; le poétique organique; transposition dans l'univers de la connaissance esthétique; construire la symphonie du dire

Douzième chapitre: *La Vérité, le Bien et la Beauté* 79

Pourquoi écrire; l'écriture manifeste un désir profond, ancré depuis les origines; l'intelligence qui va à la rencontre du supérieur; le poète est médiateur; écrire la grâce de vivre

Treizième chapitre: *Une plume à la main* 83

Mes compagnons d'enfance; itinéraire de mon développement intellectuel; l'éveil à la Beauté est une véritable renaissance; l'histoire d'une passion infinie; le style littéraire; exemples de transformation stylistique; la poésie: une maîtresse absolue

Quatorzième chapitre: *Poète québécois des sphères...* 91

Quinzième chapitre: *Pécher contre la lumière* 99

Les sons existent dans l'Éternité de l'Esprit; s'étourdir d'insensés propos; les mots sont plus que des mots; découvrir la source rayonnante; la poésie de l'émotion; autre anecdote; verbe soumis aux arcanes du long labeur; confondre poésie et chanson; le tapage politico-poétique; les livres ne sont pas des choses momifiées

Seizième chapitre: *De l'Esthétique d'Aristote à l'écriture contemporaine* 109

Choix d'aphorismes et d'apophtegmes

Conclusion 117

Bibliographie: *Première partie* 119

Deuxième partie 121

AVANT-DIRE

La parution de POÈTES OU IMPOSTEURS? a provoqué des réactions aussi violentes que spontanées: les bases nobles et les ténors de l'institution littéraire, friands de l'amphigouri poétique herbe rougiste, et jaloux de leurs prérogatives souveraines acquises à force grenouillages dans les coulisses de la littérature, ont poussé, dans un accord profond de gorges stupéfiées, leurs rugissements. Impuissants à révoquer en doute la légitimité de mon entreprise dénonciatrice de l'imposture épidémique, et dans l'incapacité de me reprocher une connaissance pertinente des textes, objets de mon pamphlet flétrisseur, ils se sont échinés à chercher le défaut de la cuirasse. Mon référentiel éthico-esthétique, hérité de la philosophie aristotélicienne, les a ravis en extase. Aussitôt, ils m'ont revêtu d'une soutane, stratégie puérile qui n'a guère abusé que le lecteur naïf. L'homme cultivé a su rétablir ma démarche discursive dans ses perspectives initiales: ce n'est que dans un éclairage essentiellement ésotérique que l'on peut comprendre mon parcours réflexif. Ce cadre particulier, qui participe davantage de la philosophie millénaire que des représentations matérielles orthodoxes propres à chaque époque, devait servir de référence substantielle pour la compréhension de mon intervention.

Qu'on le sache: je n'ai jamais prétendu qu'il faille tremper la plume dans l'eau bénite pour enfanter une poésie qui se distingue ! Les mièvreries gélatineuses, autant que les extravagances linguistiques, m'ont toujours exaspéré. Cependant, j'estime que l'Homme et la Femme réclament une nourriture spirituelle qui, sur le plan esthétique, exige des structures qui dénotent l'effort soutenu. Ennemi de la médiocrité sous toutes les formes qu'elle adopte à notre époque, je proclame la nécessité d'un redressement individuel. Je veux que l'être humain ait une vie intérieure intense, et qu'il réussisse à s'affranchir des conditionnements socio-culturels qui l'appauvrissent.

Et c'est la raison pour laquelle je l'invite à se replonger dans la quintessence à la fois spirituelle, morale et intellectuelle de l'humanité. On ne peut construire un présent dynamique que riche des fruits que des siècles ont ramassés. À chacun d'opérer le choix qu'impose sa propre culture !

PLAIDOYER POUR UNE PAROLE VIVANTE est l'ouvrage d'un homme libre !

Chapitre premier

Grands fleuves de Clarté!

Notre époque se caractérise par une abondance phénoménale de définitions dont l'excentricité n'a d'égal que l'extravagance — et la plupart s'essoufflent à justifier tantôt une certitude personnelle, tantôt un pseudo-idéal collectif. En poésie, les théories ne manquent pas: elles cherchent à disculper — et le terme est exact — une pratique particulière d'écriture. Pour se montrer à la hauteur (?) de leurs écrits, les commettants échafaudent vertigineusement des hypothèses aventureuses. Exemple: mon cri correspond à une exigence esthétique. On peut le constater: détournant les mots de leurs significations originelles qui figurent dans le code de la communication linguistique établi dans une perspective cohérente et unitaire des possibles échanges humains, en dehors de la gestualité mécanique, leurs auteurs attribuent non seulement une portée nouvelle au lexique commun, cet inépuisable réservoir paradigmatique, mais contribuent, d'où le pathétique de leurs laborieuses et dérisoires tentatives, à la confusion des valeurs fondamentales de la communication efficiente.

En regard de la multitude de théories qui rivalisent de stupidité hurlante, révélatrices d'un manque flagrant de connaissance des procédés d'action de l'âme humaine, j'estime qu'un supplément d'informations, dans un cadre métaphysique éthico-esthétique de l'oeuvre poétique, trouverait une place judicieuse. De même qu'il existe trois univers — l'univers du monde matériel sensoriel; l'univers des forces animiques supramatérielles mais substantielles; et l'univers de l'Esprit absolu —, ainsi, transposé dans la sphère humaine, ce système trilogique s'exprime par trois modes d'expérimentation spécifiques, dont chacun comporte un genre de découpage de la réalité qui lui est propre. J'appellerai ces modes: univers d'expérience individuelle d'appréhension organico-ontologico-intellectuelle. D'abord l'univers des réalités communes, ou, si l'on préfère, l'univers du sens commun. La quotidienneté facilement observable, immédiatement perceptible sensoriellement; le terre-à-terre; la banalité familière à tous. Dans l'univers du sens commun, point d'analyse rigoureusement scientifique, non plus que de spéculations métaphysiques. C'est le règne de l'émotion brute, des impondérables et de la fluctuance. Lorsque l'homme ordinaire regarde à la fenêtre, en automne, une pelouse exténuée recouverte de givre, il ne s'attarde pas à fournir à la progéniture assoiffée de s'instruire l'explication discursive de ce phénomène; pas plus d'ailleurs qu'il s'emploie à créer des structures phrasées où il coulerait sa rêverie. Il se contente de remarquer que la température s'est refroidie et qu'il lui faudra se vêtir plus chaudement. Alors que le spécialiste qui oeuvre dans l'univers de la connaissance scientifique s'appliquera à découvrir et à expliquer les éléments qui composent le spectacle qui se déroule sous ses yeux. D'ores et déjà, l'on peut se rendre compte que le découpage de la réalité palpable varie d'un mode d'expérimentation à l'autre: ou l'on constate et l'on tire les conclusions pratiques qui s'imposent; ou l'on analyse froidement les données recueillies au hasard de l'observation. Dans l'univers de la connaissace esthétique, le mécanisme d'appréhension de la réalité et de son indispensable transmutation s'enclenche autrement, obéissant à de mystérieuses alchimies ontologiques. Toutefois, cet univers comprend de nombreux moyens d'expression: la musique, la peinture, la sculpture, la littérature, etc. Mais toutes ces avenues présentent un signe commun: quand celui qui monte la route royale de l'art est investi du sentiment profond de la vocation, — voire de la mission, — l'oeuvre qu'il laisse et lègue à la postérité, porte l'empreinte d'un envoûtement de nature mystique qui conduit à la contemplation. Gilles des Marchais[1], fin linguiste doublé de poète au grand souffle lyrique, a construit une phrase qui synthétise merveilleusement bien mon idée: «Le créateur d'oeuvres esthétiques d'envergure est essentiellement un agenceur de structures porteuses d'une efficience qui mène le spectateur à la plénitude!»

Donc, le mode de la connaissance esthétique est différent dans son fonctionnement et dans son objet. En poésie, son domaine c'est le verbe humain et sa palette de nuances inouïes. La poésie est une sorte de canal qui permet à celui qui la cultive patiemment avec l'humilité souveraine, de traverser la réalité pour en toucher le nerf, le noyau, l'essence — en un mot: la Parole qui la modèle, qui préexiste, et à laquelle tente de ressembler le verbe. Et cette ressemblance effective ne participe que de l'agencement architectonique de son dire, car les éléments lexicaux ne dérivent que de l'idiome. D'où

1. Auteur de génie à qui je consacrerai un chapitre dans cet ouvrage.

la nécessité de reconquête individuelle des significations en exacte correspondance avec l'Harmonie préétablie. Également: d'où la notion de cheminement personnel, d'enracinement linguistique et de participation culturelle. Or, il convient de rappeler ici l'importance primordiale de la fidélité à des exigences universelles d'unification, de rassemblement organico-spirituel, et dont les conséquences se répercutent dans l'écriture poétique. Le concept de précellence doit présider à l'élaboration et à l'édification d'une oeuvre d'art, qui doit refléter — et elle le fait de toute façon! — le niveau d'évolution intérieure d'un poète. C'est par la structure de son oeuvre que le poète s'identifie parfaitement à la stratification de son monde intime. Ce critère peut servir, d'ailleurs, dans la pratique critique de l'écriture poétique. À mon avis, on ne peut l'enfreindre sans prostituer la Parole. Ce serait une attitude condamnable. Sous cet angle transcendant et incontestablement salutaire, l'étude d'une oeuvre revêt un caractère olympien, en ce sens que le postulat que j'ai établi restaure dans un panorama régénérateur les qualités distinctives de la stylisation véritablement poétique. La compréhension exhaustive d'une oeuvre nécessite l'intégration de cette idée: la structure est éminemment symptomatique du vouloir profond de celui qui s'adonne à l'aventure scripturaire: son avancée dans le labyrinthe de ses découvertes idiolectales ne trouvera sa forme que dans une projection graphique, celle-ci jouant sur celle-là!

On ne mettra jamais assez en évidence les rapports secrets qui existent entre le moule dans lequel le poète verse sa pensée et les structures supramatérielles où il puise ses inspirations! J'ai déjà parlé des règnes riverains inférieurs[1] peuplés de créatures diminutives qui se manifestent culturellement — et même socialement! — à la faveur de quelque sortilège. Et j'ai affirmé d'une façon définitive que le poète — et n'importe quel homme digne de son magistère dans la hiérarchie divine! — est un pont entre le visible et l'invisible. Idéalement, un pont soutenu par d'immenses piliers! Et non une passerelle tremblante d'éblouissante névrose! parcourue par des fantômes poisseux qui l'obnubilent, la détériorent et l'annihilent. Encore une fois: le choix! Le poète désire-t-il se fiancer aux sphères christiques, jardin de lumière que traduisent ses structures esthétiques; ou épouser les vues des contempteurs des immondices accumulées durant des millénaires par ce que l'homme, livré à lui-même et coupé des mondes supérieurs, a de plus abject? A lui de décider. Un verbe trituré, une pensée embryonnaire, une élocution pulvérisée le dénoncent. Un dire libéré qui irrigue le poème, une

---

1. *Je suis le sexe de Dieu*, Paris, La Pensée Universelle, 1983, 256 p.

rosée idéique empruntée aux ailes de la noblesse et de l'élévation d'esprit qui baigne la structure, le proclament fils de la lumière. Et au niveau strictement culturel, la conséquence la plus bénéfique: un renouvellement d'une écriture éducatrice des valeurs sûres, constructives et dynamiques, qui poussent au développement, au dépassement! Il faut vraiment retenir que l'activité positive unifiante ne procède que d'un changement intérieur décisif. Toute velléité de déplacement, toute tentative d'originalité sont vouées à l'échec, sont condamnées à l'oubli, si le poète n'ajuste pas sa pétulance créatrice, s'il n'accorde pas son impulsion essentielle, son élan dont il prend conscience, aux grands fleuves de la Clarté, qui vient d'ailleurs, à quoi il est rattaché par son âme!

Outre sa structure, matérialisation providentielle de l'immanence de la transcendance, il importe que le contenu soit conforme à la fluidité musicale de l'aspect extérieur, sa forme. Le poème n'est pas un lieu privilégié de divertissement pour analphabètes, espèce de grosses brutes tatouées qui pullulent en nos temps, et qui n'ont de lettres que celles inscrites sur leurs biceps! Le lecteur aura compris. Ecrire un poème, c'est célébrer un culte — et religieusement! Le port du cilice, la méditation préparatrice, l'analyse des multiples possibles, le silence monacal et de *longues années d'études* sont absolument — ce sont des impératifs catégoriques! — nécessaires à quiconque nourrit le désir princier de pratiquer les lettres. Les ignares atteints de mongolisme irréversible qui prétendent que la poésie est une occasion de s'amuser et de se détendre, ne font qu'illustrer ce que je pense d'eux: la subtilité, qui est le sel et le pain de la vraie vie, celle de l'esprit, glissera à jamais sur un tel auditoire — aucun relief ne la retiendra! Quoi qu'en pensent certains hurluberlus privés dramatiquement de discernement, la poésie n'est pas un puzzle à reconstituer —: elle est une cathédrale au coeur de laquelle le poète pénètre les arcanes du grand labeur, et s'initie à la pierrerie philosophale de la métamorphose animique. Car c'est son âme qui est l'enjeu de son expérience et, par extension et ricochet, celle de l'humanité tout entière. Une certaine engeance contemporaine, incarnée dans un groupement d'individus qui besognent aux soldes des puissances occultes, voudrait désacraliser l'acte d'écrire: en le réduisant à une mécanique technicité fonctionnelle, elle circonscrit le champ de l'énoncé poétique d'une fastidieuse reproduction de la quotidienneté, dans ce qu'elle a de plus insignifiant. L'homme réclame un idéal de grandeur. Qui le lui donnera, sinon le poète inspiré, par l'horizon qu'il entrevoit? Avant de renouer avec la priorité du contenu adapté à une enveloppe esthétique proportionnelle, j'ajoute ceci: seul le poète des grandes profondeurs tirera du bourbier l'homme majeur!

Ce sont essentiellement les idées qui forment le contenu de l'énoncé poétique. Toutes sortes d'idées circulent dans l'air que nous respirons. Je devrais écrire: dans l'air qu'une mode nous contraint à respirer. Dieu est mort, rien n'a d'importance sinon son petit bien-être personnel, fini le terrorisme idéologique de l'institution religieuse traditionnelle, chacun peut s'exprimer comme il le veut et dans la forme qui lui convient, les générations précédentes sont vermoulues dans l'antichambre d'un cauchemar, etc. Voilà l'air du temps! Et j'en passe. Nous retrouvons là de quoi gorger la plume de plus d'un novice. Et quand un aîné, pour bien faire, trempe la sienne dans le même cloaque, il n'y a pas à s'étonner qu'on décourage une jeunesse à se cultiver. J'allais l'oublier: les prophètes de malheur font suspendre au-dessus de nos pauvres têtes lourdement pensives la catastrophe universelle sous la bombe nucléaire. Vraiment: un air pur! Cela dit, soyons sérieux. Les idées de cet ordre relèvent de l'univers du sens commun. Sans les laisser pour compte, il faudrait tout de même que le poète s'élève un tant soit peu, pour accéder à un autre palier de vision — surtout de paysage intérieur. A notre époque, on parle beaucoup trop du monde extérieur. Pour être exact: on le subit — ce sont particulièrement les démagogues manipulateurs de foules, désireux de créer un espace social uniforme, qui en parlent, pour mieux conditionner la masse, la malaxer et lui conférer la mornitude qu'ils privilégient afin de mieux exercer leur pouvoir! Quand on réussit à se dégager du réseau d'influences sociolectales, à s'arracher à l'environnemet socio-culturel, on s'aperçoit qu'il existe une autre échelle de valeurs, une autre hiérarchie de normes, et qui ne sont pas celles des ambitions et de l'argent. La Vérité, le Bien et la Beauté se passent de considérations empiriques et de perspectives pragmatiques. Cette trilogie aristotélicienne, à laquelle je m'identifie, et que j'incorpore à ma pratique personnelle de l'écriture, peut, à elle seule, relever une communauté linguistique de ses cendres. Une minimale sincérité intellectuelle nous oblige de reconnaître à l'unanimité que, dans la conjoncture culturelle actuelle, les productions symboliques sont d'une pâleur à faire frémir. Pourquoi cette efflorescence d'embryons poétiques? Parce que ceux qui les éjectent n'ont pas d'idées. Ou simplement les idées au goût du jour: celles de l'alcôve et du pot de chambre à deux places. Aussi: ce n'est pas dans l'atmosphère enfumée des cabarets ou sur la terrasse d'un café, que s'élabore une oeuvre d'art. Certains me rétorqueront qu'il faut vivre. J'abonderai seulemet dans un sens spécifique: oui il faut vivre — mais pour son art. Et dans le respect de son art. Ce qui implique qu'on doive réunir les conditions «eugénistiques» favorables à l'éclosion de la pensée: la solitude fécondante, et l'élévation délibérée. Si l'on souhaite que l'oeuvre poétique ait une authentique colonne vertébrale sémantique et stylistique, il faut que l'on apprenne à se tenir debout — et l'on ne peut atteindre cet idéal que si l'on se nourrit d'idées hautes: c'est en regardant vers le haut que l'on se redresse! Métaphoriquement parlant: la voussure du dos, l'atonie du regard ne donneront jamais du muscle au verbe. En athlétisme olympique, on parle abondamment de performances pulvérisant des records: en poésie, on attend ses athlètes — dont la musculature participerait de la consistance intérieure! Et la méthode pour parvenir à ce tremplin, est d'une simplicité enfantine, bien qu'elle exige une discipline rigoureuse: apprendre à se rassembler, à réunir les éléments épars des impressions en un bloc solide, compact, destiné à durer. Oui: à durer! Prétendre construire une pyramide capable d'affronter des siècles; aborder et scruter et faire exploser des idées qui seront éternellement d'actualité — mais d'une actualité profondément humaine; bref: grandir dans l'oeuvre que l'on édifie!

Deuxième chapitre

Culture: savoir lire!

Autres conséquences désastreuses de la confusion mentale générale: les définitions tendancieuses que l'on donne au terme culture! Tendancieuses, parce qu'une idéologie axée sur le triomphe du matérialisme occidental recouvre une pratique essentiellement fonctionnelle des productions symboliques utilisées sous l'angle exclusif de la rentabilité financière. Ce qui, pour moi, est un signe évident d'un manifeste relâchement intellectuel; et la suite logique de l'indolence intérieure endémique: une dégénérescence moléculaire de l'organisme collectif, sapé dans ses fondements. Or, pour rétablir les idées, selon un ordre rigoureux de préséance, dans de justes proportions, ce qui amènerait un peu d'équilibre dans les esprits, et qui rassurerait ceux qui sont amoureux de la Vérité, — il faudrait que l'on apporte une définition normative, apte à servir et à soutenir une pédagogie qui se veut curative, de la culture. Celle que j'ai conçue semble correspondre, sur les plans humain et culturel, à un palier nécessaire de l'évolution intellectuelle; elle m'apparaît, en outre, épouser une ligne de conduite idéale de la véritable didactique. La voici: la culture, c'est savoir lire. En dépit de la simplicité transparente de la formulation, cette définition restitue à sa vraie place ce puissant instrument du développement individuel: l'écrit. Parce que, encore qu'elles soient d'une importance culturelle appréciable, les autres disciplines artistiques telles que la musique, la peinture, les exercices folkloriques, etc., ne favorisent pas toujours l'éclosion de la conscience. Pour m'y être intéressé prodigieusement pendant des années, en parallèle avec mes activités littéraires, je sais pertinemment que la musique peut assurément être un excellent outil de communication émotionnelle — elle peut même conduire à une sorte de vague contemplation toutefois informelle —, mais qu'elle ne mène nullement à un message structuré, préalablement conceptualisé, et intelligible intellectuellement. Ce que j'avance ne va pas à l'encontre de ma théorie des structures esthétiques génératrices de plénitude; je délimite le champ de la connaissance spécifique en pratique à un découpage à l'intérieur même du mode d'appréhension de la réalité. Je veux dire — je veux surtout proclamer! — l'importance, dans la communication soumise au schème linguistique, de l'élaboration indispensable. Si l'on envisage la culture comme un moyen de re-con-naissance du caractère unique et irremplaçable de son identité éternelle — en commençant par ici et maintenant, avec les outils dont nous disposons sur terre — il conviendrait de lui redonner ses titres de noblesse, en y intégrant ce qui la constitue dans son essence: la lecture. Il est certain que l'on ne peut accéder aux univers spirituels seulement avec des mots, aussi longs et nuancés soient-ils. De même que l'on ne franchira pas le grand seuil avec nos livres sous le bras. Mais cela est d'un autre ordre d'idées. Néanmoins, il est évident qu'en apprenant à lire l'on communiquera davantage avec les âmes humaines qui ont traversé notre espace temporel et qui nous ont donné des témoignages de leur sensibilité, de leur intelligence et de leur mémoire. A mes yeux, une âme, c'est cela! Ces trois aspects essentiels de l'être ne peuvent trouver carrière à leur pleine expression que dans un cadre défini — celui que leur fournit l'écriture individuelle consciente. Dans le domaine de l'écrit, point d'à-peu-près — à moins que l'auteur bâtisse une construction qui nécessite la collaboration d'autrui. Ce qui, d'ailleurs, enlève de la qualité à ses produits. Une oeuvre doit être douée de consistance ontologique! Elle doit être un monument qu'élève seule l'âme qui s'immole. C'est un holocauste volontaire. Ou une crucifixion. Revenons à ces trois éléments. (Décidément, on ne pourra certes pas me reprocher d'avoir dissimulé ma prédilection pour la symbolique numérique trinitaire!) L'homme est d'abord intelligence, ce qui le distingue des autres espèces. Je n'épiloguerai pas là-dessus: il existe suffisamment d'apologistes des plantes et des bêtes pour prétendre le contraire. Son intelligence est le siège des informations humaines et suprasensorielles; également, l'émettrice de messages. Elle est nantie d'un pouvoir amplificateur d'énergies multiples et de natures diverses. La plupart du temps, c'est grâce à l'intelligence que nous communiquons avec nos contemporains. Je sais bien que les panégyristes de l'instinct affirment une théorie opposée, le poing du *Doctor* sur la table et citations dénaturées de Freud aux lèvres. Là n'est pas mon propos. Ni mon intérêt. Ensuite, l'homme est riche d'une sensibilité, que la littérature traditionnelle a localisée anatomiquement dans le coeur, comme source affective. Par sa sensibilité, l'homme découvre les dessous des choses dont son intelligence distinguera les propriétés distinctives. (Avant d'aller plus loin, je tiens à rappeler que je n'assimile pas intelligence à facultés intellectives. Celles-ci servent uniquement dans l'apprentissage du patrimoine héréditaire —

savoir-vivre, savoir-faire, savoir dire. Alors que l'intelligence c'est une faculté, un don inné, et qui n'a rien à voir avec le conditionnement socio-culturel. Cela n'invalide en rien la nécessité de l'utilisation des facultés intellectives. Bien au contraire: elles sont d'une plus grande efficience lorsque supportées et alimentées par la véritable intelligence!) Donc, la sensibilité révèle à l'homme qui s'ouvre à la sienne, c'est-à-dire qui l'assume dans toutes les conditions de vie, et à celle des autres, le substratum de quantité de phénomènes physiologiques, psychologiques — voir supranormaux. L'intelligence est la colonne vertébrale; la sensibilité, les ligaments dynamiques. Sans l'intelligence, la sensibilité n'est rien. Voilà une conclusion qui mérite que je m'y attarde. Un homme a beau être animé d'excellentes intentions affectives qui le catapultent vers ses contemporains, s'il ne réussit pas à comprendre les mécanismes psychologiques qui actionnent leurs comportements, il court à l'échec et à la déception. Souvent, son intelligence, comprise dans son fonctionnement particulier par son «intuition» née de sa sensibilité, pourrait intervenir et relever le niveau de ses rapports avec les autres. Au fond, l'intelligence telle que je l'envisage, c'est la compréhension instantanée, fulgurante des choses et des êtres. A ne pas confondre avec la sensiblerie dégoulinante! C'est une connaissance intuitive: intelligence naturelle liée aux puissances du cosmos. Et renforcée par la sensibilité, qui procède des forces de la terre. Parfois, l'on entend dire d'une personne qu'elle est très sensible. Malheureusement, cela ne lui donne pas de l'intelligence. En poésie, les personnes «très sensibles» n'ont jamais atteint des cimes. Non plus que les acrobates du langage, perdus dans leur gymnastique langagière, n'ont descendu dans les profondeurs. Phénomène analogue en ce qui concerne la mémoire. Nos moindres cellules, nos corpuscules chromosomiques conservent le souvenir de nos origines millénaires. Inscrite dans notre organisme, la mémoire biologique se rappelle notre long itinéraire évolutionniste. Ramenée dans le champ de l'existence contemporaine, la mémoire permet à l'homme de reconnaître les différences, les ressemblances, et ce qui fait de lui un être unique. Et pourtant, au niveau des échanges culturels, une bonne mémoire, même si elle aide grandement dans l'apprentissage des techniques sociales, n'a jamais rendu, à l'instar de la sensibilité, un homme intelligent. Je connais nombre d'imbéciles pourvus d'une bonne mémoire; capables d'obtenir des parchemins scolaires, ils n'ont pourtant pas inventé l'eau tiède! (L'humour nivelle les reliefs. Une légère touche, parfois, détend et relance le discours.) L'homme est formé, essentiellement, si je reconstitue ces aspects en un énoncé linéaire, d'une intelligence susceptible de reproduire la réalité, d'une sensibilité qui approvisionne l'intelligence des secrets qu'elle entrevoit, et d'une mémoire qui enregistre la totalité des événements de la quotidienneté. Et l'âme, ce don précieux, c'est le corps spirituel qui se développe à l'intérieur de nous. Je peux référer le lecteur à des descriptions que j'en apporte, de même qu'à ses propriétés, dans un ouvrage publié qui s'intitule *Je suis le sexe de Dieu*. Pour l'instant, j'aimerais signifier que c'est du mariage harmonieux de ces éléments subtils qu'une oeuvre d'art peut prendre son envol — à condition que le «créateur» accomplisse l'itinéraire nécessaire: formation préalable, solitude, etc. J'en ai déjà parlé. On le voit: ces propos ne m'éloignent pas de la pratique de l'écriture poétique, et pas davantage de la lecture. Si l'art d'écrire est important, l'art de lire l'est davantage: ce n'est pas tout le monde qui peut écrire, mais tout le monde peut avoir accès aux livres. Bien entendu, plusieurs voudraient que l'écriture soit accessible à quiconque. Dans un sens, j'en conviens — mais à la manière d'un piano: l'instrument est à portée de main; qui sait s'en servir avec grâce et distinction? A mon avis, c'est parce que l'on n'a pas tenu compte de la notion de vocation, que l'on encourage n'importe quel écrivassier à s'opiniâtrer dans son attitude scripturaire, au détriment de l'ensemble culturel (collectivité). Sous le même aspect, c'est parce que l'on n'a pas appris à lire — et à lire quoi? — que l'on assiste à cette platitude intellectuelle d'une jeunesse manipulée à l'envi. On l'empêche même de lire, en la submergeant de toute une quincaillerie folklorique qui l'empêche de penser par elle-même. Des spectacles de toutes sortes, des musiquettes populaires à trois temps, des magazines sursaturés d'illustrations, l'envahissement débilitant de l'image, qu'elle soit filmique ou statique, une nonchalance inacceptable de la part de ceux qui exercent des rôles d'intervenants culturels et qui, immatures émotionnellement et intellectuellement, les enfoncent dans le bourbier de l'ignorance, des publications insipides écrites à la diable — tout cela n'est certainement pas en mesure de susciter des vocations. C'est le moins qu'on puisse dire! Et dans les institutions éducatives populaires secondaires, les grands archétypes littéraires ne figurent pas au programme du français. Dans les Cégeps, l'on se limite à de blêmes productions du littéraire autochtone d'expression française — c'est-à-dire ceux qui sont incorporés dans le réseau des complicités. La littérature de bas étage ne forme pas le goût: elle le corrompt, quand elle ne le tue pas. Selon moi, une gigantesque organisation corruptrice est à l'origine de cet état culturel général. Et l'on comprend parfaitement bien que, dans ces conditions-là, des démagogues approuvent n'importe quelle manière d'écrire. En poésie, c'est le fouillis, le magma informe, la substance visqueuse, le verbe en reptation, l'idée glabre, la glaire juteuse, une abondance de sang menstruel et de sperme mêlés. Du moins dans une certaine pratique d'écriture poétique québécoise des années soixante-dix. (Entre parenthèses, je travaille à un essai qui se propose d'analyser ce mécanisme particulier d'écriture pseudo-poétique, et qui fera éventuellement l'objet d'une publication. Cette recherche approfondie et méthodique, et surtout les conclusions où elle me pousse, m'autorisent à dire qu'une écriture, même si elle se prétend poétique, ne conduit pas à la contemplation ni ne développe forcément, en même temps que le goût de la culture, le sens du discernement.)[1]

Je formule ma question: Qu'est-ce que la culture? C'est savoir lire! Entendons-nous. Il ne s'agit pas de lire les graffiti qui ornent les vespasiennes du poétique approximatif, fait de cryptogrammes antédiluviens, ou les élucubrations des journalistes en mal de révélations sensationnelles. Ce genre d'écrits, — qui touchent principalement deux catégories d'individus: la première englobe tous les snobs du littéraire qui se distinguent par leur uniformité intellectuelle, sorte de conformisme remâché (!); la deuxième, le gros de la population qui s'émoustille à la lecture des indécences de leurs contemporains (les revues à potins!), — retire plus qu'il n'ajoute à la culture. La culture renferme les archétypes littéraires qui forment, instruisent, construisent — en deux mots: qui élèvent! Quand des parents assument leurs véritables obligations, quand ils disent qu'ils «élèvent» leurs enfants, souhaitons qu'ils sous-entendent qu'ils les font grandir intérieurement. Alors, la culture c'est ceci: forcer le développement intérieur, grâce à la lecture qui, de par sa distanciation symbolique avec la réalité vécue — d'ailleurs, l'oeuvre est *aussi* une réalité, d'un autre ordre! —, fait s'accorder ce que l'on a de meilleur avec la pensée d'un auteur. De génie. A notre époque, la notion de génie épouvante le vulgaire, et fait les gorges chaudes des cénacles prétentieux de prétendus poètes. Il est entendu, une fois pour toutes, que le génie n'existe pas — a-t-il jamais existé? Si l'on se fie aux théories bâtardes de l'heure, le génie ne serait qu'une invention machiavélique d'une clique avide de pouvoir et habile à maintenir sous sa domination un grouillement de crétins. Au dire de certains — et pourquoi pas, au point où nous en sommes? — tous les poètes (?) d'aujourd'hui sont des génies. Le plus ignare gratteur de papier qui s'enorgueillit de voir paraître annuellement sa petite plaquette de crottin phrasé, imposera sa «fécondite» à sa clientèle familière; nimbé de l'auréole du génie, il récidivera sans que quiconque ose analyser méthodiquement son «oeuvre». Non! Le génie, c'est la grandeur de sentiments, d'idées, coulés dans une expression sublime! En ce qui concerne les sentiments et les idées, je pense que

1. *Poètes ou imposteurs*, Louise Courteau éditrice, 1985, 176 pages.

l'on peut facilement s'entendre sur ces termes. Quant à l'«expression sublime», qui ferait sourire mes détracteurs, elle désigne les structures, les périodes, l'énonciation quintessenciée, des mouvements internes très subtils, la puissance évocatoire — les possibilités qualitatives de reconstruction synthétique de l'existence prise sous ses multiples facettes. Je me dois tout de même de reconnaître que cultiver la grandeur d'âme et pratiquer l'écriture quotidiennement dans un but d'efficacité littéraire éminente n'aboutissent pas inéluctablement aux résultats géniaux escomptés. Cela pour une considération ontologique: *nul ne peut parvenir à des sommets qui n'ait été prédestiné*. Le destin...autre notion reléguée au grenier. Qu'on y adhère ou pas, cela ne change rien à ma théorie: *le génie est un don divin*. Il appert donc que les conceptions particulières à une époque ne motiveront nullement le tracé aérien que sera l'itinéraire existentialo-esthétique d'un individu créateur: il créera son propre moyen d'expression — c'est-à-dire l'architectonique poétique qu'il privilégie — pour contribuer au développement de l'humanité, par les révélations essentielles qu'il fera sur la nature humaine qu'il peut, plus que tout autre, connaître, explorer, approfondir. Ce n'est pas ceux qui vivent dans tel milieu qui peuvent décrire excellemment ce qu'ils connaissent — en rassemblant tous les éléments nécessaires à une saine compréhension. Ou souvent, ce qu'ils peuvent en dire ne concerne que la surface des choses. Le drame là-dedans, c'est que nous ne sortons jamais, sinon rarement, de l'univers des choses banales, du sens commun. Ce qui n'est pas l'objet de la démarche d'un créateur, qu'une longue vague de fond porte sur des hauteurs. Le génie est d'abord un voyant, un être touché de faveurs divines qui a une lecture directe de la Réalité. Sa vision est exhaussée à la lucidité dont s'imprègne son regard dans le supérieur qui, je le répete, préexiste. Et la connaissance est compénétration de la substance humaine bourgeonnante. C'est pourquoi ce qu'il produit est digne de respect, prête à l'étude; sa lecture conduit au vrai savoir, parce qu'il a su dégager la réalité de sa gangue et offrir aux lecteurs sincères des critères de jugement sûr. Et des oeuvres qui, par leurs formes exquises, ressemblent aux structures supérieures dont elles sont inspirées. Après la lecture de ces lignes, on peut se rendre compte que ce n'est pas la simple reproduction standardisée de la réalité, à la manière des magazines d'information, qui peut communiquer l'enthousiasme que procure le sentiment esthétique. Il est toujours question de l'univers de la connaissance esthétique, où se meut un poète de génie. Que je le dise: n'en déplaise aux fouilleurs d'alcôve, aux impuissants de la plume et aux adorateurs inconditionnels de l'ornière boueuse, le poète n'est pas un homme comme les autres. Une philosophie primaire — ou plutôt primale! —, à grand renfort de publicité démagogique, s'évertue à nous faire croire que le poète est pareil à tous et chacun. Il «ressemble» aux autres — et c'est cette seule ressemblance qui fait son drame, ou sa grandeur! En effet, lui aussi est fait d'un assemblage d'os et de chair; lui aussi doit se nourrir, se vêtir et se loger; lui aussi éprouve les mêmes sentiments; lui aussi remue les lèvres et les membres. Mais là s'arrête la ressemblance! Dans tout ce que la réalité lui présente, il puise des idées qu'il transformera en structures; il cueille des miettes pour enrichir son jardin intérieur — cette transformation lui est nécessaire. Le résultat de cette mystérieuse chimie intérieure: une réalité reconstruite où les puissances de l'imagination et les exigences fondamentales du sentiment musical trouvent leurs nourritures — et dont l'abondance suffit à légitimer toute une vie d'implication. Certains se demandent, plongés jusqu'au cou dans l'univers du sens commun, comment il se fait que des êtres, apparemment normaux, qui réussissent à entretenir des rapports sociaux raisonnables, vouent leur vie aux structures esthétiques investies du dynamisme fondamental qui prend sa source à même la Vérité. Ils sont comme frappés de stupeur quand ils voient un poète se revêtir de silence pour mieux diaprer le verbe humain, dans l'espoir que celui-ci canalisera la Parole. Pour eux, le poète est un étranger — et c'est un euphémisme, parce que, le plus souvent, ils l'affublent de l'épithète délicieusement éructée de «malade». Le poète l'est, malade — si l'on considère qu'une maladie établit une différence. On peut dire qu'il est malade parce qu'une exigence urticante le dévore: celle de la Beauté. On peut dire qu'il est malade parce qu'une nécessité qui prime tout le tourmente: celle de la Vérité. Et, finalement, on peut dire qu'il est malade parce qu'un devoir immense lui incombe: répandre la lumière, dévoiler ce qui est Bien! Le poète de génie, parce qu'il est un voyant — il a *vu*! — sait que la vie est ailleurs, qu'on doit s'y initier par le commerce des oeuvres d'art sur le plan esthétique et la pratique des vertus théologales sur le plan humain. La grande question pour lui, ce n'est pas de savoir ce qu'il mangera ce soir ou le vêtement qu'il portera lors d'une réunion; c'est de s'introduire, par le biais de l'Art, par la porte étroite, dans le royaume substantiel qui dure. Et la réalité opaque, les modes de vie modernes ne favorisent pas cette élévation; il semble même qu'ils la retardent. L'Art devient, par conséquent, et un bouclier contre la touffeur et un tremplin vers les hauteurs. Dans cette perspective, l'observation clinique du «malade» porte à faux: cette maladie est de celles qu'il faut entretenir! Et la conclusion: pour goûter avec délices les fruits mûrs de la culture, il faut apprendre à lire les poètes, ou écrivains, de génie.

La question qui se pose immédiatement, c'est de savoir qui nous apprendra à connaître les poètes de génie. En principe, les responsables de l'éducation qui oeuvrent au sein d'établissements d'enseignement. Qu'en est-il? A part quelques rares exceptions, les agents culturels se sont laissés gagner par le laxisme: le libéralisme a envahi toutes les couches. On valorise des productions symboliques qu'on devrait anathématiser; on néglige les produits culturels qui n'ont pas été récupérés par l'institution ou qui ne font pas l'objet de recherches ou de critiques dans les principaux organes d'information littéraires; on suit la mode du jour qui veut qu'on s'attarde à tel écrivain, pour des considérations essentiellement politiques — celles qui président à l'exploitation matérielle du livre; en somme, on reste dans les rangs, en affichant des attitudes d'anachorètes. Ce n'est pas qu'ils ne sauraient reconnaître une oeuvre de génie; dans l'intimité de leurs cabinets de travail, ils s'accordent à identifier les produits qui méritent l'attention. Seulement, dans le cadre de leurs activités professorales, particulièrement dans les Cégeps, ils ne cherchent pas à se distinguer par un souci de revalorisation positive des oeuvres de qualité. On les montrerait du doigt comme des empêcheurs de tourner en rond; ils subiraient, de la part de leurs confrères, l'ostracisme définitif et flétrisseur! Vu ces circonstances, qui éclairera une jeunesse qui porte toutes les promesses de l'avenir? Ma réponse: une élite composée de penseurs et de poètes — qu'ils enseignent dans une institution éducative ou qu'ils écrivent dans la solitude fécondante! Surtout, qu'ils prennent conscience, humainement et spirituellement, qu'ils font partie de cette élite fraternelle. L'élite est le levain de l'avenir. L'élite est supérieure — il n'entre pas de fatuité dans cette assertion: c'est plutôt la conscience d'un surcroît d'obligations morales, intellectuelles et sociales — et elle est différente. Quand on mesurera humblement l'importance de cette définition de l'élite, on respectera davantage ses interventions dans nos structures sociales. Qu'on ne me fasse pas dire ce que je n'ai pas dit. Cette élite sera le guide, l'auxiliaire indispensable; elle acheminera l'homme moyen vers les nourritures les plus délectables — celles de l'esprit! Par son intermédiaire, l'homme gravira les paliers de la connaissance qui mène au savoir profond, harmonieux et nuancé, d'où il saisira le monde dans sa totalité en même temps que dans ses aspects particuliers. Grâce à elle, l'homme élargira son horizon, qui se déploiera dans de vastes panoramas: sa conscience agrandie respirera aux rythmes divins. C'est le rôle d'une élite intellectuelle responsable. A chacun d'endosser pleinement et totalement les devoirs qui lui sont dévolus. Le sens du devoir... La caractéristique essentielle de ceux qui composent l'élite est l'indifférence aux facilités abêtissantes, au bonheur légumineux! Peu leur importe leur petit bien-être personnel; leur devoir emporte toute leur considération. En l'occurrence, leur devoir, c'est d'éduquer, d'élever. Ils n'auront de cesse, et à tout prix, qu'ils n'aient précisément accompli leur devoir d'homme — et au-dessus des possibilités illimitées d'avancement. Ce n'est pas l'idéal du fonctionnaire de l'enseignement qui les stimule — vacances, statut, autos, etc. — le mobile profond de leur conduite, c'est de parvenir à arracher au cloaque de la médiocrité leur prochain. Pour atteindre cet objectif, ils alimenteront inlassablement leur curiosité intellectuelle, ils s'abreuveront aux sources les plus nobles du patrimoine littéraire universel, ils vivront jour et nuit pour et par leur profession, leur vocation, leur mission: élever!

Troisième chapitre

L'inspiration!

Quelles sont les qualités intrinsèques nécessaires à l'élaboration d'une oeuvre d'art? Par ordre d'importance: *l'inspiration*! Je sais, mieux que quiconque, pour l'avoir subi dans les officines enténébrées de la pédanterie, que ce mot d'essence divine provoque l'hilarité inextinguible. Dans certains milieux que je localise culturellement dans l'essai dont j'ai déjà parlé, où l'on se stérilise à désacraliser, ce terme ne rencontre que scepticisme, quand ce n'est pas la plus virulente négation. Cependant, malgré cette indifférence générale à l'égard du principe de toute création artistique, et littéraire en particulier, j'ai le courage de le ressusciter et de l'incorporer à ma théorie de l'écriture poétique. L'inspiration n'exclut pas la transpiration, le labeur proprement dit: elle l'illumine en transfigurant celui qui s'y livre — à condition d'oeuvrer à un certain niveau de vibrations esthétiques. Il ne faut pas craindre les foudres de ceux qui ignorent le fonctionnement de la mécanique subconsciente. Celle-ci se divise en trois régions, ou paliers, d'opération fonctionnelle: l'infra-conscience, la conscience et la supra-conscience. L'infra-conscience est la zone hantée de créatures lilliputiennes qui, logées dans les habitations troglodytiques de l'instinct animal, exercent une influence néfaste chez tous les correspondants humains, osmose soumise à la loi universelle des équivalences. Ceux qui en sont possédés produisent des oeuvres qui témoignent de leurs sources, de leurs «inspirations». Leurs oeuvres adoptent les structures qu'ils entrevoient obscurément: visions dantesques, tourbillons abyssaux, incohérence dans l'élocution, cacophonie dans la projection d'images. C'est le règne inférieur, où se complaisent les invertébrés de la création. Pour avoir longuement étudié leurs écrits, je peux toutefois ajouter que la plupart ne savent même pas qu'ils s'étiolent dans les ténèbres de l'absurde. Trop heureux de sortir quelque chose d'informe, ils exploitent leur filon, sans s'apercevoir qu'ils retardent, en accumulant leurs amusettes poétiques, leur avancée sur la voie royale de la rédemption. Ils ne sont pas encore parvenus à l'étape lustrale de la Catharsis, qui les délivrerait de leurs chaînes émotionnello-créatrices. Dans ce monde des correspondances élémentaires grouillent tellement de larves immondes que les pauvres hères qui s'y meuvent — qui s'y meurent! — ne peuvent avoir qu'une vision bien partielle de la réalité. Quant à ceux qui affichent quelque prétention à la dialectique, leurs discours culturels regorgent de sophismes — sans compter les paralogismes dont ils se gargarisent, persuadés qu'ils sont de détenir la vérité. Alors qu'en réalité, ils ne tiennent qu'un bout de la ficelle, celle qui trempe dans le bidet. L'image est crue — elle n'en révèle pas moins la vérité.

La deuxième strate imbriquée dans la mécanique englobante de l'être humain, c'est la conscience. Les définitions de cet instrument de préhension de la réalité sont à ce point aussi bien différentes qu'originales qu'il serait superflu d'en dresser une liste exhaustive. J'estime que tout chercheur honnête, tout intellectuel intègre les connaît. En regard de tout ce qui a été écrit là-dessus, et je crois avoir lu toutes les théories, je me permets d'y greffer un élément que nombre de penseurs ont omis: l'agrandissement de la conscience ne vient pas de l'extension des connaissances humaines — mais d'une ouverture animique au supérieur, d'une attitude réceptive à la supra-conscience. Avant de poursuivre, je désire m'arrêter aux termes que j'utilise afin de les définir. D'abord, l'intellect est la faculté, développée artificiellement, de rassembler les données de la réalité — c'est un appareil conditionné socioculturellement susceptible d'être utilisé à des fins utilitaires: mémoire fonctionnelle, aptitudes d'apprentissage, capacité d'intégration équilibrée aux structures sociolectales, etc. L'intelligence est, comme je l'ai dit, com-pénétration — introduction instantanée et intuitive dans l'essence même des choses. Si l'intellect et l'intelligence s'unissent exceptionnellement chez un homme, il arrive qu'il produise des oeuvres de qualité. En somme, on peut être un intellectuel sans une étincelle d'intelligence, qui est essentiellement créatrice de formes et de mouvements, comme on peut être un homme intelligent sans une miette d'efficacité intellectuelle. Et cela pour une raison très simple: l'intellect est un produit des structures sociales, alors que l'intelligence est une émanation des structures divines. Mais attention: l'intelligence n'est pas l'âme, ou entité spirituelle individualisée! L'âme est le corps subtil à l'extérieur de nous. Si je ramène ces propos dans le champ d'activité créatrice qui nous préoccupe, le cheminement de mon raisonnement me conduit aux conclusions suivantes: réduite à elle-même, la conscience, que n'étaie que l'intellect, n'a qu'un aperçu de la réalité —

ou, plus exactement: elle n'en mesure que l'étendue s'arrêtant seulement aux obstacles et aux reliefs. Pour descendre dans le noeud des choses et des êtres, la conscience doit se dilater, déborder les frontières établies par le code socio-culturel, enfreindre sa programmation génétique — tout cela relève de l'univers physique sensoriel. Elle doit s'élever. Pourtant, elle ne peut s'élever par ses propres forces: il lui incombe de solliciter, par son intelligence, l'intervention de son âme, qui est reliée à la supra-conscience, ou conscience supérieure... C'est l'âme qui communique les messages vers le supérieur — de même qu'elle transmet ceux de l'inférieur. D'où la nécessité d'une connaissance approfondie de ce que j'ai appelé la mécanique subconsciente. Sur le plan de l'écrit, on peut constater que rien ne se fait qui ne soit assujetti à quelque inspiration — de nature différente. Donc, l'inspiration existe. C'est en ce sens que je dis que tel auteur est véritablement inspiré, entendant par là qu'il reçoit des messages du supérieur, qu'il arrive à transmuer en une forme suave. En ce qui concerne les autres, ils travaillent à un autre niveau — qu'il faut identifier. Si les éducateurs assimilaient cette théorie, il y aurait moins de confusion dans les esprits — et l'on pourrait envisager une pédagogie saine axée sur la Vérité, ce qui entraînerait pour conséquence immédiate un redressement de l'individu, lequel formerait son goût au fur et à mesure qu'il parcourrait la superficie structurante de la culture. Maintenant, je poursuis. Avec la deuxième qualité: l'*enthousiasme!*

L'enthousiasme découle de l'inspiration — c'est comme son fils, sa récompense, son prolongement. Un poète véritable, c'est-à-dire inspiré, puise en lui les forces les plus hautes; il y découvre le dynamisme substantiellement spirituel, original — j'écris volontiers: adamique. Un mot le résume: fondamental. Il prend conscience de sa filiation divine. Il sait qu'il n'est plus seul; qu'il appartient à un autre monde, où il montera, une fois sa ronde humaine terminée. Il n'oublie pas qu'il doit laisser des traces, perceptibles ou apparemment impalpables, de son passage terrestre. Il ne perd jamais de vue ses devoirs qui le rattachent à ses frères, tout en assumant la responsabilité initiale de ciseler son âme, grâce à des communications quotidiennes avec le supérieur. Il sait aussi, qu'il ne transportera pas ses oeuvres dans l'au-delà; que c'est ce qu'il aura travaillé en lui qui garantira son statut spirituel — je veux dire: son rôle. Car, pour lui, l'oeuvre est éternelle et elle s'axialise sur le triple principe aristotélicien: la *Vérité*, le *Bien* et la *Beauté*. Il ne peut connaître de déperdition de vitalité, parce qu'il prend sa force dans l'eau pure de la certitude intérieure. Il déborde littéralement d'énergie — l'enthousiasme le projette vers le dedans, comme sous l'effet d'une catapulte. Il est comme le pèlerin qui, au milieu du désert, voit monter, à son horizon intérieur, la Citadelle annonciatrice de l'oasis tant promise. Sa traversée est enchantée. Et même s'il a du sable dans les yeux et les membres fourbus. Celui-là est également possédé — toutefois, par qui? Par une puissance ineffable qui lui insuffle des secrets — et qui lui tient la main. Et je pense que tout poète de qualité connaît ce miracle: se sentir guidé et aimé par une Présence qui ne trahit *jamais* et qui tient toujours ses promesses dont, parfois, elle sème, providentiellement matérialisées, sa route. Celui qui perdra l'enthousiasme pourra s'interroger profondément à la lumière de ce que je viens de dire. Les poètes sont des bergers — mais de quel Berger se réclament-ils?[1]

* * *

Notre civilisation occidentale contemporaine, ou notre société québécoise nord-américaine en particulier, réserve quelle place au poète? Espèce de spécimen grotesque, embryon hideux, enfermé dans un bocal scellé et étiqueté sur un rayon du laboratoire, il fait une cible idéale pour tous ceux qui vivent immergés dans le plexus du sens commun. Ceux-là mêmes dont on s'attendrait qu'ils soient capables de les comprendre et qui manoeuvrent de puissants leviers d'opinion n'hésitent pas un instant à affubler les poètes des houppelandes les plus ridicules: adolescent retardé, affabulateur irrécupérable, schizophrène, etc. Et de rire sous cape avec des gloussements d'aise, en bombant le torse. A moins d'être un exhibitionniste en quête de popularité, le poète, qui est avant tout discret et secret, répugne à dévoiler son métier, de peur d'essuyer les sarcasmes de ses alentours immédiats. Et puis, est-ce un métier? Hein? Qu'est-ce que ça rapporte? nous demande-t-on, avec des airs d'en savoir long. Cette attitude générale ne me surprend pas outre mesure, quand je pense à tous les imposteurs qui fourmillent. Et qui faussent les valeurs dans l'esprit des gens. Les poètes-chansonniers, les poètes-politiques, les poètes-professeurs, les poètes-arrivistes, les poètes-à-peu-près — tous ces braves escrocs qui «font» dans l'imposture la plus dégradante contribuent, en occupant le haut du pavé, à obscurcir l'intelligence de leurs contemporains. En répandant une fausse poésie, en tenant de faux discours, en sécrétant un faux pouvoir, ils ajoutent de l'écume sirupeuse à la moisissure culturelle existante! Comment s'étonner, dans ce contexte aberrant, que l'homme se désintéresse du poétique, où il n'y a pas de consensus, de

---

1. Yergeau, Robert, lettre inédite.

ligne directrice essentielle basée sur une conception esthétique? Vraiment, il n'y a pas à se surprendre. C'est une réaction normale. L'homme moyen a la pagaille en horreur: il se méfie du désordre. Evidemment, j'entends l'homme ordinaire équilibré qui pratique les vertus. Quant aux autres, ils se réjouissent du fouillis, qui fait écho au tumulte de leurs propres pensées(?)!

Quand le poète prend la courageuse résolution d'annoncer la couleur, il y a aussitôt un mouvement de recul, traduit par des froncements de sourcils, des moues manifestement dédaigneuses, des regards riches d'intérêt, des expressions ô combien éloquentes qui semblent signifier: qu'est-ce que c'est que ça? Pour tout dire, le poète inspire — pas toujours dans le sens où il le voudrait! — la méfiance. Le profane le considère d'un oeil chargé de soupçon. Est-ce un inadapté ou un anarchiste? se demande-t-il. Et, à analyser le comportement de plusieurs qui se prévalent du titre princier de poète, je pense que je pourrais me questionner dans le même sens. Le nombre de névrosés qui prétendent à la poésie est tellement croissant et qui parviennent comme mystérieusement — je dis «comme mystérieusement» parce que je connais des réseaux tacites de complicités! —à s'imposer, que l'utilisation d'une serpe impitoyable s'imposerait, pour faire oeuvre de salubrité publique. Dans ce dessein, j'ai personnellement entrepris une oeuvre de dénonciation de l'imposture crapuleuse. A deux reprises, j'en ai parlé dans le cadre de cet essai. L'oeuvre en question s'intitule *Poètes ou imposteurs*. Mais à l'égal de tout ce qui est vrai et qui est appelé à durer ainsi qu'à défier le temps, le poète, fort de ses convictions, inébranlables parce qu'irréfragables, poursuit sa route de lumière, en faisant bénéficier tous ceux qui l'approchent des rayons de son soleil intérieur, lucide, souverain! Il sait que, par delà les modes, les conventions, les systèmes de surface, il aura accompli sa mission, pénétré du sentiment d'avoir fait oeuvre utile.

Quatrième chapitre

Parole, levain d'une société

L'écriture poétique qui prétend servir le noble idéal de la Beauté nécessite que le catalyseur magnétique d'effluves harmonieuses, le pratiquant, fasse table rase de tous ses reliquats de lecture: l'érudition fournit certes les connaissances empiriques indispensables à la dialectique du théoricien du poétique, mais ne prête guère son concours à l'élaboration d'une oeuvre poétique authentique, en dehors de tout académisme. Pour atteindre les cimes de l'énoncé idiolectal, le poète doit apprendre à connaître la structure la plus haute de son âme — exploration méthodique de la supra-conscience. De cette connaissance progressive, il débouchera sur l'illumination, ou état de grâce. C'est la condition préalable pour faire oeuvre d'authenticité. C'est seulement après cette accession au supérieur qu'il peut recourir à l'intellect capable d'utiliser les éléments du code linguistique propre à son idiome. Par sa gymnastique quotidienne — il importe que le poète s'adonne à une sorte d'acrobaties mnémoniques afin de garder parfaitement lubrifiés les rouages de sa mécanique spécifique —, il rassemblera les sons qui sont le mieux appropriés pour transmettre ses visions, lesquelles, nourries constamment d'intuitions issues de ses recherches, communiqueront aux destinataires un enthousiasme illimité. Rien n'est semé au hasard. Quand le poète, enfermé dans son cloître, plein de silence peuplé d'anges, coule ses phrases aux rythmes de ses coups d'archet — une oreille, quelque part, dans l'univers physique visible, s'émeut, même si elle ne distingue pas encore le sens des mots que le poète marie. L'inspiration en provenance des sphères du Bien transforme le poème en prière — et la prière relie tout ce qui est âme. Le poème prié — c'est-à-dire investi de puissance d'essence sacrée! — déclenche l'ouverture immédiate des écluses de l'entité individuelle: les eaux qui s'écoulent aussitôt courent rejoindre celles qui les appellent, alors que l'être interpellé l'ignore encore. Il l'ignore parce que c'est sa supra-conscience qui est sollicitée. Toujours est-il qu'il sentira néanmoins un mouvement intérieur qui le portera vers l'ailleurs. C'est ce phénomène qui explique l'existence des familles d'esprits, ou d'âmes — unies par ce que je nomme des affinités sélectives!

A notre époque enfiévrée, on parle à perdre haleine de «conscientisation» politique, d'où l'émergence recrudescente de polémiques sociales qui ne font en rien avancer l'homme vers son semblable. Les adultes sont opposés aux jeunes; les femmes s'égarent en revendications vétilleuses qui les dressent contre les hommes; il y a ceux de droite et ceux de gauche; les prêtres s'opposent: les progressistes et les traditionnalistes — selon les apparences, tout semble éloigner les uns des autres. D'ailleurs, il est intéressant de remarquer que c'est depuis qu'on encourage les expressions publiques qu'on peut constater une augmentation révélatrice de ruptures, de brisures, de cassures, d'oppositions radicales. C'est-à-dire que c'est à mesure qu'on extériorise ses penchants et tendances, sous les bénédictions génétiques de ceux qui savent tirer profit — politiquement parlant — de la situation, que le désordre s'accroît dans d'alarmantes proportions. Tout ce qui préoccupe l'homme et la femme d'aujourd'hui, ce n'est pas de savoir s'ils accomplissent leurs devoirs prévus dans l'incommensurable plan d'évolution de l'humanité, ce qui dépasserait leurs petites «vues» circonscrites bêtement dans l'aire des satisfactions viscérales; tout ce qui les anime, en nos temps de médiocrité, se réduit au vase clos d'une sérénité bovine. Ne jamais connaître la douleur, comme une violation de leurs droits de citoyens; ne jamais s'intéresser à autre chose qu'à ce qui est rentable; ne jamais chercher à se dépasser — cette absence d'aspirations caractérise l'homme et la femme de cette fin de siècle. Du moins en Occident. Si l'on parle tant de «conscientisation» du matériel, exclusivement, c'est parce que le règne de l'infra-humain s'étend. Exemple: une des manifestations les plus significatives de cette régression vers l'infra-humain: le culte de la masse. Le moyen le plus ingénieux qu'on ait conçu pour niveler l'homme a été de broyer sa conscience, à la faveur de circonstances extérieures favorisant les rassemblements. Les êtres entassés comme du bétail dans de grands hémicycles au centre desquels des spectacles se déroulent. En se donnant cette illusion de communiquer intensément avec son voisinage. L'homme s'enfonce lamentablement dans la crasse d'une émotion qui étouffe son âme, son coeur et sa pensée. Les spectacles qu'on lui offre ne s'adressent qu'à ses organes en délire. C'est cela la prostitution organisée. Ces hommes et ces femmes vibrent pendant une heure; et, les sens apaisés, ils se jettent les uns sur les autres avec une fougue renouvelée! Et leur âme en souffre. Parce qu'il y a une vérité qu'on a oublié de leur révéler — ou plutôt qu'on cherche à oublier: c'est qu'ils sont sur terre comme des passants — et que la vraie Vie est ailleurs, dans cet au-delà qui les attend pour l'éternité. Et ce qui les rattache à cet au-delà, c'est leur âme, sur laquelle s'acharnent les imposteurs à la solde des puissances occultes. Je l'ai dénoncé à plusieurs reprises. Se soustraire de cette emprise exige qu'on retrouve la solitude salvatrice et qu'on s'alimente de mets plus aristocratiques: les nourritures spirituelles qu'apportent les individus créateurs de génie! À ce point-ci de l'évolution de l'humanité, les poètes priants peuvent intervenir: leurs paroles sanctifiées seront les canaux par où parviendront les clartés qui redresseront l'âme alanguie. En cette voie, la poésie est un gain, une richesse. La parole du poète ne concerne pas la surface anonyme des pantins désarticulés, mais l'âme en quête de vérité. Je ne veux pas mésestimer l'importance des impératifs; je veux simplement les remettre à leurs vraies places. Et mettre de l'avant ce qui mérite de plus grands égards: ce qui doit nous prolonger, ce à quoi nous sommes destinés: l'éternité individuelle consciente. L'homme et la femme s'imaginent à tort que s'ils ne goûtent toutes les joies humaines, ils auront gâché leur vie. Ils sont dans l'erreur. Ils n'ont pas compris: ils auront un immense temps et un espace correspondant pour accomplir leurs destins d'entités divines. À trop crier, on s'enroue. À trop vouloir vivre, on perd la vie — la référence biblique corrobore merveilleusement mon propos.

Oui: la Poésie que j'aime: levain d'une société!

Cinquième chapitre

Altitude intérieure

La Poésie doit proposer, dans son architectonique intrinsèque et par sa dynamique sémantique, une véritable cure de désintoxication à l'homme d'aujourd'hui. Celui-ci, empoisonné par des pollutions mentales qui l'agressent de toutes parts sous forme d'idéologies déstructurantes, profiterait de cette désinfection intérieure. Le charlatanisme contemporain a pris des proportions si grandes, l'imposture crapuleuse a envahi tellement de milieux, que l'homme encore récupérable spirituellement aspire à respirer un air franc, pur et lumineux. Evidemment, les solutions de facilité pour la continuité historique ne manquent pas: les divertissements populaires. Hérité du latin, ce mot, galvaudé à notre époque, qui exprime on ne peut mieux le tragique de l'impuissance observable chez nos concitoyens, signifie: détourner. Ou encore: s'éloigner de soi, pour se perdre dans une sorte d'étourdissement infra-humain. Aux temps lointains de la décadence de la civilisation romaine, des gladiateurs se livraient à des combats sanglants, devant des spectateurs qui applaudissaient fougueusement, emportés par l'hilarité que provoquait un membre sectionné. Aujourd'hui, le même phénomène de déliquescence: des foules se massent aux abords des amphithéâtres pour assister au spectacle de leur propre mort, par la violation de leurs tympans. Une société de sourds-aveugles-muets. On ne parle plus — sinon pour rabâcher les sempiternelles serinades de la télévision; on ne regarde plus — si ce n'est que la démence en mouvement; et l'on reste sourd à sa musique intérieure. On n'a de cesse qu'on n'ait un fond sonore et, si possible, imagé. On ne cherche plus à créer son imagerie intérieure. On devient stérile. Surtout: pas d'effort volontaire et réfléchi — ce serait attenter à des droits inaliénables, à des prérogatives du peuple-souverain. Les démagogues le savent, et l'exploitent. C'est le meilleur moyen de manipuler une «masse» d'abrutis, sans âme, qui va grandissant. Sous le prétexte de respecter le bon peuple, on l'abêtit de pornographie, de stupidités organisées; on le ramène à des dimensions technico-sociales. Or, et ceci est d'importance historique capitale, si l'on avait vraiment voulu servir les intérêts du peuple-roi, et sans lui souiller l'encéphale de criailleries revendicatrices insanes, on l'aurait initié au miracle de la culture. C'est par la lecture des grands auteurs classiques que le peuple aurait pu agrandir sa conscience et former son goût. Il y aurait moins de laideur hideuse. Les journaux immondes n'auraient pas connu leur immense succès. Les réalisations cinématographiques à caractère érotique n'auraient pas trouvé carrière à leur exploitation systématique. La truanderie intellectuelle internationale, sous la férule de la dictature communiste, n'aurait pas empli ses goussets, aux dépens des derniers bastions des pays libres. Car, il faut bien se rendre compte, prendre conscience, ou, pour utiliser une terminologie de sociologues marxistes-léninistes, se «conscientiser»: toute cette réjouissance générale, inconsciente des desseins qui la déterminent, a pour origine une philosophie destructrice d'inspiration essentiellement politique. Détruire ce qui fait l'âme d'un peuple, la langue, et jeter le discrédit, comme on étend un voile honteux sur des ulcères pestilentiels, sur sa mémoire figée, les livres — c'est amorcer un virage qui précipite la décadence d'une collectivité. Obnubiler toute signification cohérente jusque dans ses fondements ultimes, la construction laborieuse de son échelle de valeurs, de normes culturelles positives, émergée de longues périodes d'observations des vérités élémentaires de la nature humaine; s'évertuer à la convaincre que l'homme de l'an 2 000 serait aussi différent dans ses ressorts de comportement que l'homme de ce siècle l'est de l'africanthrope; exceller à persuader la femme que son rôle primordial est de faire l'amour librement, sans tenir compte de la constitution biologique sacrée; réussir à tromper la jeunesse en lui faisant croire qu'il n'y a que le présent qui importe, en dehors de tous les fabuleux acquis du passé; parvenir à substituer au drame de vivre le concept fallacieux de l'existence sybarite légumineuse — c'est, à mes yeux dessillés par la lumière de la grâce qui m'a un jour foudroyé, réaliser le plan du maître de ce monde. Les asiles d'aliénés ne désemplissent pas: les clients se pressent au portillon. Hagards, assommés, vidés. Les églises célèbrent un culte de surface. Les sectes ésotériques prolifèrent. À la faveur du désarroi général, de l'inquiétude qui terrorise, les exploiteurs s'empiffrent comme des goinfres. Le poste de radio vomit sa bile incohérente dans des oreilles dénuées de sens critique. Les libraires font des affaires d'or — leur chiffre d'affaires en atteste! —, en refilant leur camelote de sottises pour perroquet. Les kiosques à journaux déversent leurs torrents de boue et de sang mêlés. Dans ces conditions d'une débilité dramatique, comment s'étonner que l'Art authentique, aristocratique soit relégué dans le tiroir des souvenirs! On réclame de la vitesse — et l'Art, d'ailleurs comme tout geste essentiel et sacré, exige du silence, l'écoute des voix venant de l'intérieur. On veut expédier n'importe quelle tâche en cinq secondes — et l'Art se fait dans la patience et la soumission aux inspirations. On prétend communiquer ses appétences sensorielles immédiatement — et l'Art sait d'expérience millénaire que tout doit être émondé, élagué, sarclé et labouré. On aspire à se fondre dans l'action sociale — et l'Art nous instruit que l'activité la plus haute de l'âme humaine se déroule entre quatre murs, dans la solitude intégrale. On refuse de se contraindre à des exercices mnémoniques indispensables pour l'harmonieux fonctionnement de sa mécanique intérieure, parce qu'on dispose maintenant d'une technologie de pointe destinée à soustraire l'homme d'un esclavage qui l'empêchait de progresser sur la voie du savoir. On a besoin d'une information, d'une référence? — on presse un bouton et hop! la réponse nous est donnée à l'instant même. Pourquoi apprendre, quand on a des machines pour parler, penser, chercher à notre place? C'est une des conséquences de l'envahissement de la technologie. Exemple: au niveau de l'écriture. Il existe des appareils micro-ordinateurs perfectionnés qui, pourvus d'un dispositif auto-correcteur instantané, permettent à n'importe qui d'écrire, et cela sans connaître nécessairement les règles de la grammaire. La grammaire? Connais pas! Je sais même des théoriciens du langage qui confectionnent les pâtisseries dialectiques les plus nébuleuses, à savoir que tant et aussi longtemps qu'on enseignera dans les écoles les structures grammaticales préétablies et fixées par le code propre à un idiome, non seulement l'on maintiendra le peuple dans la crasse, mais l'on soutiendra les intérêts d'une caste privilégiée. N'est-ce pas un beau tour de force de la pensée? À lire de pareilles âneries, on se demande s'il ne s'agit pas d'une bonne blague. Pas du tout. L'auteur? Un professeur d'université. Thèse à l'appui. La grammaire comme moyen d'abrutissement socioculturel. Cette trouvaille d'un intellectuel surmené — on voit que ce n'est pas son activité professorale qui le rendra plus intelligent! — mériterait une décoration, celle de la Bêtise. Et que dire de ceux qui rejettent le latin et le grec? Langues mortes, lâchent-ils. Et pourtant, à notre époque d'informatique, on recourt à une nomenclature qui dérive de ces langues dites mortes. Et de plus en plus. Dans certaines universités américaines, chaque année, le nombre des latinistes augmente. Pour revenir à cette adjonction correctrice de la grammaire, incorporée aux appareils, je considère que cette intervention tout artificielle, loin de libérer l'homme de quoi que ce soit, le mutile dans ce qu'il a de meilleur: l'allégresse de l'apprentissage. Je crois que c'est le but final de l'éducation: apprendre à apprendre. Éveiller ce goût de la connaissance est l'idéal à atteindre dans l'éducation. Susciter une émulation dynamique, par des techniques qui interpellent l'homme dans ses sources créatrices. Et lui faire comprendre que, sans une conceptualisation préalable, toute activité prétendue créatrice n'est qu'une opération fonctionnelle, qu'une amusette pour enfant retardé. Et lui rappeler sans cesse que sa grandeur réside dans la recherche, le labeur acharné. Il faut bûcher, à l'instar du bûcheron courbé sur son arbre abattu, qui sue sang et eau. C'est dans cette transpiration qu'il tirera son bonheur et sa raison d'être.

Sixième chapitre

L'effort est un levier

Je lisais récemment, dans un organe spécialisé en informations littéraires, à propos d'un livre, cette phrase révélatrice de l'indigence intellectuelle d'une certaine pratique critique: «Il est rare en littérature québécoise qu'on doive utiliser le dictionnaire». L'auteur de la tartine se plaignait qu'il fût contraint de recourir à l'immense réservoir lexical pour connaître la définition de certains mots qui échappaient à son entendement. Il n'était même pas question, pour lui, de se donner la peine de vérifier le sens des mots. Or, qu'est-ce que la littérature, sinon une possibilité ineffable de s'octroyer des voluptés exquises avec des mots? Aux yeux de cet hurluberlu de troisième zone, qui cependant s'enorgueillit d'exercer un pouvoir despotique sur les inclinations culturelles de ses contemporains, le vocabulaire collectiviste d'emploi quotidien est le seul qui puisse convenir au peuple-roi, à la «masse». Il s'érige, de toutes les forces de son ignorance démagogique, contre l'humanisme traditionnel, au profit de ce qu'il appelle la culture des «masses». C'est attenter à sa dignité que de lui offrir une riche palette de nuances. Selon lui, la culture, c'est noir ou blanc. Aucun dégradé successif. Le produit culturel envisagé uniquement sous l'angle de la rentabilité immédiate, la consommation instantanée. C'est faire preuve de sottise que penser de cette façon. Toute reproduction standardisée de la réalité débouche, sur le plan de l'univers des connaissances esthétiques, sur l'abrutissement, sur la fermeture. Parce que l'Art n'est pas un instrument, à la manière d'un film ou d'une photographie, de projection de la réalité. Dans le domaine du sens commun, certains procédés suffisent. En littérature, l'individu créateur transforme ce qu'il recueille dans le quotidien, pour en présenter, dans une enveloppe esthétique, les impressions les plus subtiles. Son rôle, en tant que médecin des âmes, c'est de découvrir les principaux ressorts de la nature humaine; une fois cette étape franchie, d'inventer un langage, toutefois fidèle au code linguistique en usage, qui sache révéler toutes les nuances de l'arc-en-ciel. L'Art, c'est un déploiement de gemmes, un rutilement de pierres précieuses. Au Québec, combien d'écrivassiers de renom connaissent cette vérité élémentaire? Pour son livre, *Salut Galarneau*, Jacques Godbout a reçu le prix du gouverneur général. Son bouquin? Un tissu d'insanités dont il ne s'est pas donné la peine de filtrer ce qui méritait d'être retenu. Et les exemples abondent. Pourvu qu'on réponde aux besoins du peuple-roi: rendre accessible et facilement digérable la fleur de la culture, la littérature. Je pourrais faire les mêmes observations en ce qui concerne la musique. Certains apologistes des formations musicales contemporaines sont allés jusqu'à déclarer que les Beatles supplantaient, parce que des spécialistes en orchestration avaient réussi à fignoler quelques lignes mélodiques valables, Mozart. Il faut vraiment n'avoir jamais goûté les hautes structures de celui-ci pour oser les comparer aux balbutiements de ceux-là. Ou encore: chercher à détourner le peuple-roi des grandes oeuvres en attirant exclusivement son attention sur ce qui pourrait prêter une oreille amusée — disons: sympathique. Dans tout ce qui relève de l'Art, le discernement est une exigence fondamentale! Mais le discernement nécessite un développement méthodique et une fréquentation régulière des grands auteurs. Une assiduité pourrait contribuer à la croissance de cette faculté. Il y a ce qui est inné, comme l'intelligence naturelle, et ce qui ne l'est pas, comme l'apprentissage des techniques indispensables à un emploi judicieux des instruments d'approche. J'estime nécessaire que tout être, quelle que soit la potentialité énergétique créatrice qu'il renferme, pour parvenir à une actualisation maximale de ses aptitudes, utilise ce que la culture lui a légué. Par son essence, la culture, hors les manifestations populaires, est aristocratique, c'est-à-dire qu'elle s'appréhende individuellement. Et qu'elle se pratique dans la solitude. Les fameuses «nuits de poésie» ont un charme très discutable: quand des énergumènes vocifèrent leurs éructations poétiques pour quelques poivrots de l'écrit qui hantent les cagibis du savoir avalé de travers, je ne vois vraiment pas en quoi cette «communion», par son effervescence cahotique, nous permet de déguster l'âme de son créateur. D'ailleurs, s'agit-il bien d'âme et de créateur? Des plumitifs, certes. Qui sont fiers de dire à leurs pareils — révélation capitale! — qu'ils mangent, qu'ils digèrent — laborieusement — et qu'ils défèquent — copieusement: C'est leur façon scatologique de souiller de leur raffinement les socles de la culture. Et leur qualité individuelle intrinsèque réside dans leur refus d'être «récupérés». Parce que, selon ces spécimens, la «récupération» par l'institution officielle signifierait leur condamnation. Des purs! Ils n'ont de pureté que leur absence de vues. On peut considérer effectivement comme «pur» ce qui n'a pas été défriché, travaillé, cultivé. Leur hargne contre la littérature institutionnalisée ne les empêche pas, paradoxalement, d'espérer que leurs «oeuvres» soient étudiées au programme. Et c'est là, je crois, le défaut de la cuirasse. Ils vomissent sur ce qui représente l'autorité et cherchent, par tous les moyens du bord, à se distinguer par des bizarreries frisant l'absurde, dans l'espoir que leurs excentricités poétiques se gagnent la faveur des masses. Leurs spectateurs? La lie du savoir livresque — ceux qui ne lisent que les graffiti des pissotières, en pensant qu'ils baignent dans l'aura de la poésie — alors qu'ils ne font que mijoter dans le jus de l'incohérence! Ils applaudissent à tout rompre, parce qu'il faut que ça pète le feu. Ils réclament du bruit, de la fumée, des déchaînements frénétiques, du malaxage de nerfs. Pour ces incultes, ce qui grouille est une preuve de vie. Ils ne savent pas — l'ont-ils jamais compris? — que la vie est celle de l'esprit, qui est silence, méditation, recueillement. Lire sous la lampe constitue une obligation impérieuse pour quiconque désire explorer l'univers d'un autre. Ou en plein soleil. Mais seul. Jamais au milieu de gens qui gesticulent et qui éructent leur trop plein d'entrailles! La poésie est d'abord lecture. Aujourd'hui, on dédaigne la lecture. C'est une opération mentale trop difficile. On préfère l'audition. D'où la popularité de la chanson. Quelques couplets sur des accords primitifs. La lecture recrute moins d'adeptes parce qu'elle demande un effort. Dans notre univers humain, l'effort est un levier. Ceux qui s'emploient à l'éviter végètent dans la médiocrité. Oui: je crois qu'il est bon que des auteurs emploient des mots rares pour forcer le lecteur à utiliser abondamment le dictionnaire, cette mine de renseignements. Je ne prétends pas que les mots nouveaux agrandissent l'intelligence. Ce n'est pas ce que je dis. J'affirme que la recherche développe l'individu. En outre, les mots expriment les subtilités de ses raisonnements ou de ses architectures esthétiques. Les mots sont des matériaux de construction. Cependant, il faut un concepteur, un ingénieur qui dessine les plans, qui ait une idée de ce que sera l'édifice en projet. C'est le poète, ou l'écrivain. Le poète utilisera les meilleurs matériaux, s'il veut que sa construction soit la plus belle et la plus solide, capable de durer des siècles. Il y a aussi les poètes qui, à l'instar des constructeurs modernes, élèvent des bâtiments en papier mâché, destinés à loger leur fragilité intérieure, à laquelle s'identifie une clientèle spécifique. Constituée d'instables, de timorés et de faibles, celle-ci se reconnaît dans les productions symboliques qu'on lui offre. Elle vibre de délectation à l'audition — jamais à la lecture! — de poèmes qui reflètent sa précarité. Elle n'a d'autre ambition que de consommer sur place. Le volatile, l'éparpillement et la discordance lui conviennent à l'envi; ils lui épargnent le devoir de l'enracinement. L'enracinement culturel de tous les membres d'une ethnie est la condition de toute participation culturelle. En ce sens, tout renoncement à l'acquis culturel, au profit d'une nouveauté sujette à caution, empêche que s'établisse un consensus des valeurs, une échelle de normes culturelles collectives positivement rentables. Et, pour qu'un critique reproche à un auteur soucieux d'élever la «masse» en l'obligeant à chercher dans le dictionnaire quelques mots qu'elle n'emploie pas tous les jours, on peut se demander pour quelles raisons il adopte une attitude aussi négative, alors que son rôle primordial d'agent culturel serait précisément d'encourager ce qui relèverait la majorité de sa suffisance. Car il faut être d'une suffisance innommable pour vouloir s'abstenir de s'instruire. Un jour, je rencontre un auteur qui me lance, drapé dans sa certitude bovine: »Moi, je ne lis plus!» Sous le noble prétexte qu'il avait bien assez de construire son «oeuvre», l'auteur en question n'ouvrait plus aucun livre. Pour ne pas subir les influences. Pour rester lui-même. Son lexique personnel nourrissait ses écrits. Ses idées lui fournissaient des points de repère. Hé bien! ce qui lui arrivait comme limitations culturelles trouvait écho chez ses lecteurs familiers. Prenons l'exemple de Simenon, dont j'admire la fécondité phénoménale. Sa série «Maigret» ne manque certes pas d'intérêt sur le plan de la psychologie des personnages. Mais son vocabulaire! Toujours le même, un lexique restreint. Le mérite chez Simenon, qui avait beaucoup lu, c'était de reconnaître qu'il écrivait de la «semi-littérature». Je rappelle, pour ceux qui ne le savent pas, que Simenon a écrit au delà de trois cents romans. Autre exemple: San-Antonio, ou Frédéric Dard. Celui-ci se distingue, à mes yeux, par ses découvertes langagières, qu'incarne merveilleusement son personnage rabelaisien, Alexandre-Benoît Bérurier, dit Béru, lequel, de souche plébéienne, abonde en saillies piquantes qu'il exprime dans un style qui amuse. Ici, on demeure toujours néanmoins dans la littérature populaire, qui propose un genre de lectures rapides. Nous sommes loin de la littérature académique que je privilégie. Un modèle? André Maurois! Un style d'une pureté empreinte d'un cachet d'hellénisme. Une transparence de langage. Une profondeur de vues que traduit une structure cohérente. Nous sommes dans le roman. En poésie, autre archétype: Paul Eluard. Concision et fermeté. Foudre au coeur de la glace phrasée. Cela dit, qu'advient-il de nos poètes québécois? — dont peu, décidément, m'inspirent de l'admiration, voire de la sympathie. Rejetant leurs racines françaises, négligeant les poètes qui pourraient baliser leurs parcours, ils versent dans l'égotisme linguistique, la contemplation nombrilique, le petit moi qui s'extériorise malencontreusement. A la va comme-je-te-pousse. En essayant de compenser leurs dramatiques lacunes par une disposition typographique pseudo-originale. Dans un précédent essai, déjà cité, j'ai analysé les conséquences socio-culturelles de leur pratique d'écriture poétique. Il m'est arrivé, à quelques reprises, d'échanger avec quelques-uns de mes confrères en poésie. Quand je m'enquérais de leur technologie d'apprentissage poétique, plusieurs me répondaient qu'ils avaient lu, en traduction, des auteurs américains. Et les poètes français? La plupart, tous dépassés! Et par qui? Par nos autochtones d'expression française! Voilà! Il ne me restait qu'à me baisser et à ramasser! Seulement, le hic, c'est que le remugle qui se dégageait de leurs latrines n'était pas en mesure d'enchanter mes narines. Aussitôt, on me collait gravement, et à l'unanimité, l'étiquette d'élitiste. Je dois tout de même à la vérité de dire que ce terme qui accompagnait mes déplacements m'honorait — ce que ne pouvaient comprendre mes illettrés. Au début, je m'empressais, assez naïvement du reste, de leur expliquer ce que ce mot veut dire. Elitisme: aristocratie souveraine. Au-dessus de la mêlée. Travail accompli dans le dessein d'enrichir. C'était le tollé. Pour qui est-ce que je me prenais? C'était leur question. Tout simplement, je leur rétorquais: pour un enfant du peuple qui aspire à se hisser aux sphères ductiles de la Beauté. Ce qui déterminait un soulèvement d'indignation. Etait-il possible que je me veuille différent des autres? Je leur répondais que quiconque oeuvre dans la solitude assume une différence, qui est sa qualité; que cette différence découverte, entretenue et manifestée, le rapprochait infiniment plus des autres que ne l'eût fait une participation au fouillis des beuglements; que, finalement, la solitude unissait davantage, parce qu'elle prenait racine dans les profondeurs de l'âme — et que c'était celle-ci qu'il fallait rejoindre chez les autres.

Septième chapitre

La sensibilité

La sensibilité, fille de l'ouverture intérieure et mère de l'activité créatrice, est aujourd'hui, pour une catégorie d'individus qui se piquent de «faire» dans la poésie, objet de sarcasmes. Enfouie dans le dernier tiroir de l'arsenal romantique, elle réclame les cimenteurs d'âmes qui sauraient lui redonner ses lettres de noblesse: ces constructeurs de structures esthétiques puiseraient dans son onde salvatrice, instruits de dynamique millénaire, un courant d'inspiration qui raviverait littéralement — et littérairement! — leur écriture. En nos temps d'intellectualisme échevelé et d'abstraction congelée qui mobilisent les velléités poétiques, la sensibilité, moteur du dire, subit des mesures attentatoires à sa majesté originelle. Il est de bon ton de se caparaçonner contre son influence: l'impassibilité est de rigueur. De plus, et c'est la floraison idéique la plus aberrante, n'en déplaise aux plus forcenés des partisans, l'adhésion politique explicite doit prédominer dans toute intervention culturelle: la politisation de l'écriture poétique — comme une épée de Damoclès, elle constitue un impératif pour celui qui prétend à cette discipline de l'activité humaine. La multiplicité des problèmes politiques qui divisent le monde est tellement écrasante qu'il convient que le poète fasse un choix et qu'il l'exprime, sans ambages! Les injustices évidentes qui sévissent dans tel pays interdisent qu'on se referme sur son petit «moi». Les criantes exagérations d'une société aliénante défendent à quiconque de verser dans des phrases pures de tout engagement idéologique les impressions sensorielles que l'âme a transmuées. C'est rigoureusement défendu, par ceux qui savent! Et qui considèrent que la sensibilité est un reliquat d'une éducation religieuse périmée. Que sais-je! Ou qui estiment que la sensibilité est un témoignage d'infantilisme. Que ce qui est important, c'est de protester. Contre tout. Les autres, les régimes, la terre, Dieu. Ils se procurent l'illusion d'être lucides. De quoi? A mon sens: de leur nullité! S'ils avaient vraiment quelque chose à dire, ils commenceraient par s'occuper d'eux-mêmes: ils exploreraient consciencieusement ce qu'ils recèlent. Mais de crainte de n'y rien trouver — et ce vide, ce néant est précisément causé par l'intérêt qu'ils portent aux choses du dehors —, ils s'ébattent dans le monde extérieur, en beuglant qu'il n'y a que celui-ci qui compte. Je veux bien reconnaître quels motifs d'indignation légitime fourmillent de par le monde. Toutefois, lorsqu'on prend le temps de gratter le vernis de noble attitude qui recouvre la conduite de certains contestataires, on peut se rendre compte que c'est une difficulté d'être, plus qu'un véritable sentiment de l'injustice, qui anime ces acharnés. J'ai connu personnellement plusieurs d'entre eux. Au début, je m'étonnais qu'ils s'échinent à vouloir dénoncer ce qui échappait à leurs influences immédiates. Cela me stupéfiait, parce que je crois qu'on doit surtout travailler dans notre champ respectif, dans notre zone effective de pouvoirs. Et, en poésie, ce sont les mots chargés de miel — et non de fiel! Alors, il me semblait que si l'on désirait changer le cours des choses, en matière politique, le moyen le plus sûr et le plus efficace était d'abandonner l'écriture esthétique, pour se lancer à corps perdu dans l'arène électorale. Ces don Quichotte répugnaient à l' action. C'étaient des «intellectuels». De ceux qui connaissent bien les besoins du peuple. Leur rôle n'était pas de travailler en usine, histoire de connaître les conditions d'humbles tâcherons, mais de leur révéler leurs ignominieuses conditions matérielles d'existence. J'insiste sur le mot «matérielles». Car ce qui les préoccupait essentiellement, c'était la surface des êtres, le matériel. Et non ce qui fait des héros et des saints. A leurs yeux, le peuple était exploité. Et pourtant... Quand l'homme de l'an 3 000 étudiera les conditions de vie de notre époque, il sera certainement surpris qu'après une stabilité millénaire, l'homme d'aujourd'hui n'ait eu d'autre souci que son bien-être matériel. Après avoir connu les cavernes, les champs, les pestes, etc., l'homme de nos temps — l'homme moyen — disposait de toute une machinerie susceptible de l'aider dans son travail, de telle sorte qu'il aurait pu s'intéresser à ce qui est l'essentiel de lui-même: son âme. Hé non! Il en voulait plus encore. Talonné par nos revendications organisées en corporation. Au nom de la défense de l'homme! Et quand ce n'était pas nos spécialistes de la zizanie générale, soutenus par une publicité orageuse, nos prêtres, transformés en sociologues propagateurs du christianisme socialiste, les exhortaient à se regrouper, non pas pour prier, mais pour former un bloc d'intérêts matériels communs! Dans les églises, on ne célébrait le culte que du bout des lèvres, pressés qu'on était de nettoyer la place: les *meetings* succédaient aux messes. Comme l'écrivait Paul Guth, insigne prosateur aux vues nettes: «On bouchait les vitraux des Cathédrales pour empêcher l'homme de regarder Dieu»[1] Dans ce lamentable état de choses, le poète «engagé» avait la bénédiction des foules: tout légitimait ses criailleries. Le moindre de ces écrits soulevait les «masses», heureuses que quelqu'un les connût si bien. C'est ainsi que dans la seconde moitié du XXe siècle, les poètes répondaient à l'horizon d'attente. Et pendant qu'on remettait en question les bases de nos sociétés libérales d'Occident, les sectes occultes soucieuses de la désorganisation interne des pays libres assuraient leurs subtiles invasions. Un élément important dont n'ont pas mesuré les conséquences socio-culturelles les apologistes de la révolte: que toute manifestation, que tout soulèvement avaient une origine politique. Le profane est loin de se douter de ce mouvement subversif, né de la politique communiste. Pour lui, c'est l'immédiat. Conscients de cette tendance nombrilique, les responsables de ces réseaux de détérioration poursuivent leurs avantages, en alimentant les foyers d'infection. Les poètes généreux, au coeur débordant de cris — et non de mots! — «engagés» comme ils le sont dans le courant qui les emporte, sanctionnent, pour beaucoup sans qu'ils s'en rendent compte, ce qui mène leur propre devenir. Pour le moment, ils ne s'en soucient guère: aux côtés de l'ouvrier, du fonctionnaire et de la secrétaire, ils se grisent d'allées et venues.

Puis, il y a les poètes des structures éthérées — privées de substance humaine, de sensibilité. Fiers de se déclarer ennemis résolus de la sensibilité bégayante (ce dont je les félicite!), ils tombent à pieds joints dans des équations de symboles. Plus exactement: burlesque prétention de représentation mathématique de la réalité — du moins de ce qu'ils en perçoivent. La sensibilité? Ils l'empoignent par les cheveux et, une moue de dédain aux babines, ils la jettent à la poubelle. Pouah! Eux vivent dans les altières sphères des idées à débattre! Parmi les structures. Le plus étrange là-dedans, c'est quand *on* étudie leurs «oeuvres»: on s'aperçoit que leur écriture est axée sur le renversement systématique des valeurs; aussi: que le résultat qu'ils obtiennent de leurs laborieuses tentatives d'élaboration proclame la déstructuration. C'est le chaos des idées. L'explication la plus rationnelle — ici, ils devraient se réjouir! — de ce phénomène de recrudescence de productions symboliques abstraites est, qu'au lieu de tenir compte de leurs composantes essentielles trilogiques — mémoire, coeur, intelligence —, ils se limitent à recourir seulement à l' intellect. Et celui-ci doit plutôt ser-

---

1. Guth, Paul, *Lettres ouvertes à votre fils qui en a ras le bol*, Paris, Flammarion, 1976, 220p.

vir d'outil — et non de matériaux vivants. Cette mode, d'ailleurs, est aggravée par l'utilisation de grilles d'analyse à caractère spécifique — sociologique, politique, etc. —, ce qui ne fait que confirmer certains dans leurs attitudes, quand ils bénéficient d'échos dans les universités. La mode est à la démythification, à la désacralisation, à la volcanisation. De là à conclure que les mots ne sont que des mots, il n'y a qu'un pas[2]. Je comprends que pour nombre de spécialistes, les mots ne sont plus porteurs de rien. Ils exigent des preuves, démontrées mathématiquement. Cette incursion — pour ne pas dire violation! — de la science dans le littéraire a faussé les valeurs. Les perspectives sont différentes. On s'obstine au décorticage. Cependant, la grande question qui se pose est celle-ci: peut-on décortiquer une mémoire, une sensibilité, une intelligence? Non! C'est la raison pour laquelle on a banni la sensibilité, comme aliment et instrument d'extériorisation poétique.

A mon avis, seule une renaissance de la sensibilité annoncera et garantira le renouvellement du poétique! La sensibilité nous relie à tous les êtres et à toutes choses. Et au cosmos. C'est par elle que l'âme transmet sousterrainement ses messages. C'est elle qui capte les signes, du monde et qui les verse dans la mémoire, ou s'approvisionne l'intelligence. Et je crois que la principale difficulté, pour le poète, sera de ne pas l'assimiler à la sensiblerie; faite d'alanguissements de pleurnichards et de tièdes, la sensiblerie concerne les invertébrés: et le manque de colonne vertébrale — et de muscle! Elle est une preuve évidente d'une insuffisance d'intelligence. Les mouilleurs de prunelles et les mains moites. La sensibilité est majestueuse: elle est rattachée vigoureusement au créé: elle bat à son rythme. Et, grâce à ses deux auxiliaires — la mémoire et l'intelligence — elle a plus de chances de rester dedans la Réalité. La sensiblerie s'en écarte. D'où l' importance de surveiller ses émotions, de les maîtriser. Alors qu'il faut cultiver ses sentiments, nourriture de la sensibilité, qu'on ne doit pas confondre également avec la sentimentalité gélatineuse. La sentimentalité que commandent les circonstances émotives; sensiblerie que détermine n'importe quel spectacle qui chatouille nos nerfs; — et la sensibilité dynamique que gouvernent les sentiments durables pleins de signification spirituelle. Les trois expressions désignent des états différents, que l'ignorance rejette d'un revers de main, ou rassemble sans distinction. Il faut apprendre à savoir sous quelle domination le poète conçoit ses oeuvres. J'établis, en ce moment, quelques jalons, pour favoriser ce discernement.

---

2. Voir le dernier chapitre.

Pour conclure, la sensibilité, disciplinée par l'intelligence et renforcée par la mémoire qui contient tout ce qui a été, rétablira le poète dans le fleuve puissant de l'inspiration supra-consciente. L'âme fera le reste...

Huitième chapitre

Le curieux est fort!

Le fort est un roi: je suis roi dans mon univers! Et les invités sont des princes! Le désordre du monde expire sur le seuil de mon royaume. La conscience de ma filiation divine m'enracine dans cette certitude; le monde appartient, dans ses innombrables manifestations et jusque dans ses ramifications dans l'invisible, à celui qui en prend possession par l'élan fondamental: la curiosité. J'ai écrit que le poète qui s'ouvre au champ dynamique d'inspiration spécifique de sa supra-conscience débouchait sur l' illumination. Toutefois, il importe de se souvenir que, dans le ciel humain, trois niveaux de conscience lui sont accessibles — et que tout objet de son intérêt peut solliciter l'un ou l'autre de ces niveaux. Le monde est à celui qui sait en jouir — en tirer son essence. Quand on hiérarchise ses délectations, par ordre d'importance croissante! Certains poètes, à partir de la boue, montent vers les étoiles. D'autres, s'éloignant délibérément de l'ornière, exultent dans un poudroiement d'astres savoureux. Une attitude intérieure essentielle les rapproche: la curiosité. Insatiable, dévorante comme un feu inépuisable, elle conduit le poète dans les labyrinthes de l'exaltation. Celle-ci, moteur de l'expérience poétique, alimente le condensateur. Par sa capacité d'amplifier les impulsions créatrices, le poète touche d'un doigt magicien la frange de l'Idée maîtresse, celle qui force la matière à adopter des formes selon son vouloir initial. La Royauté n'est pas un privilège séculaire: elle s'acquiert. Et c'est la seule justice, d'ordre divin. Sur terre, malgré l'orientation démagogique de nivellement égalitaire, en dépit de la systématisation pathétique de l'éducation, quand bien même on réussirait à réaliser une répartition équitable des facilités matérielles, jamais l'on ne conférera le titre de roi à l'homme qui néglige ses origines étoiliques, son ascendance primordiale! Le poète, qui a une douloureuse et délicieuse conscience de la finalité constructive de l'existence humaine, chemine vers le dieu qu'il sera. Vers l'enfant qu'il porte en lui. Dans sa différence biologique, la femme connaît d'ores et déjà un semblant de ce que j'avance:

elle permet à une âme de s'incarner. Non de se réincarner. (D'ailleurs, à propos de réincarnation, un regard exhaussé et brûlant de lucidité doit balayer ces fausses notions — ou dénaturation d'une vérité première. Les philosophies orientales parlent de métempsycose et de vies successives, pensant atténuer ainsi l'échéance inéluctable de la mort, du grand passage dans l'au-delà. Alors qu'en réalité, l'on ne se réincarne pas dans le cosmos physique extérieur, tel qu'il est conçu sur terre: l'on se prolonge dans un univers animique, fait d'une substance plus déliée, invisible à nos yeux humains. Dans ce monde prochain, l'on poursuit la merveilleuse aventure de la Vie — affranchis que nous serons de la plupart des chaînes qui retardent notre développement. Cela dit, que je m'attarde sur cet enfant que l'homme porte en lui.) Comme la femme qui permet à une âme de venir au monde — une âme qui ne connaîtrait jamais l'éternité, n'était de l'intervention de la femme, d'où, à mes yeux, son caractère sacré! —, l'homme, et dès la formation de l'embryon, engendre sa propre vie: son corps spirituel croît en lui-même. À la désintégration de son corps physique, son corps subtil poursuit sa route, dans une atmosphère correspondante. Or, il faut respecter son corps spirituel, ce que le christianisme a désigné sous le vocable d'âme. L'âme est d'essence divine; c'est cette étincelle du brasier infini que Dieu a allumée en nos entrailles qu'il faut vénérer. Et cette vénération en soi de ce que nous avons de meilleur, de plus grand, doit nous inciter à faire en sorte que l'essentiel des autres puisse bénéficier de nourritures qui les aideront à grandir. C'est ici que l'Art joue un rôle sacré. La célébration de la liturgie de l'Art favorise la croissance intérieure. C'est comme une messe, sous les regards princiers des vitraux, qui sont les instruments dont nous nous servons. L'artiste crée un pont qui mène à l'éternité. Le titre même de ce livre atteste mon intention de restaurer l'Art dans son authentique perspective adamique. Quand je prétends que la curiosité est un formidable tremplin qui éjecte l'homme vers ce qui fait son semblable, et qui n'est pas exclusivement son apparence extérieure, c'est parce que je sais d'expérience que, sans cette musculature que constitue cette auxiliaire indispensable, l'homme en est réduit à ne traîner qu'un protoplasme vidé et desséché. C'est un essorage spirituel qui explique la stérilité de certains poètes: ils ne sont plus curieux s'ils deviennent les roturiers de l'Art, les manants insipides de la culture. Ou, ainsi que je l'ai déjà gravé en lettres de feu qui les flétrissent: des impuissants! Qui sont privés de puissance! J'en connais qui, pour essayer de donner le change, font encore des entourloupettes langagières — ultimes rots de repus, gavés d'eux-mêmes. Qui ne regardent plus la vie de tous les pores de leur être. Âme et corps. À quelques reprises, j'ai décrit les propriétés particulières de l'âme et de son interrelation avec les différents niveaux de conscience. Si je parlais des antennes fantastiques du corps, qui nous relie au monde extérieur? lequel est un grand bassin débordant de richesses pour qui sait y plonger — et en sortir! Pour bien établir ma base de réflexions, que je le redise: le corps est le véhicule temporaire privilégié de l'âme, qui est l'enveloppe de notre éternité individuelle consciente, au sein d'un tout indivisible. En regard de cette prise de conscience, il lui incombe de conduire à son terme humain l'élément ineffable qu'il contient. Le corps humain possède des organes d'appréhension pourvus de grands pouvoirs: les cinq sens. Il faut s'en servir! Prenons la vue. Tout ce qu'il y a à regarder, à contempler, à boire des yeux! Les courbes des collines et des femmes, le dessin des lèvres et des routes secrètes qui y mènent, le jeu des lumières et des ombres, le balancement des arbres et des corps, le mouvement de la plume qui s'incruste dans la chair du papier, et les mains qui se joignent. Quand je regarde, je me sens envahi du sentiment de posséder. Et je n'ai pas encore touché! Ah, toucher! Les cheveux fins des enfants, la peau rugueuse des murailles, le bois poli, qui me sourit, le tabac qui chatouille le bout des doigts, l'onde qui rafraîchit, la pulpe exquise des fruits qui jutent sur la paume, les pages qui tournent comme une cerise dans la bouche. Et goûter. Le tabac poivré que j'aime tant, le café fort qui rutile sous la langue, le vin doux qui grise les papilles, les lèvres suaves des roses et celles de la Femme. Et sentir. Les odeurs de la pluie et de la terre, de la menthe foulée, les parfums des draps propres et des corps en extase, les senteurs des forêts qui se racontent des histoires. Et écouter! Les voix du dehors et les voix du dedans; les bruissements, les chuchotements, les battements; les pas amis qui retentissent dans la pièce voisine; le vent qui râcle aux alentours; le cliquetis de la montre qui chante à son rythme à mon poignet; l'inflexion tendre de la femme adorée. Cinq sens, comme cinq portes ouvertes, comme cinq mains tendues, avides, inassouvies; comme cinq bouches à jamais affamées; comme des yeux où éclate la foudre; comme des narines inlassablement en quête d'essences; comme des oreilles tapies, à l'affût du moindre souffle. Le corps est un indicible laboratoire, où l'âme distille ce qu'il recueille. Combien d'êtres, ou de poètes, le savent-ils? Combien, parmi ces gens que l'on croise dans la rue, au bureau, ou ailleurs, ouvrent ces portes, par où jaillirait la Vie qu'ils portent? Combien savent-ils qu'à fermer une seule de ces portes qu'ils s'amputent, qu'ils se mutilent, qu'ils blessent leur âme? L'âme réclame des aliments. Qui la nourrit? C'est dans cette optique que je dis que la curiosité joue un rôle primordial. Elle stimule, elle fouette, elle cingle! La curiosité saine fait découvrir à celui qui se soumet à ses exigences les choses et les êtres, en lui révélant ce qui les distingue. La curiosité éveille! elle réveille! Sans elle, l'homme dépérit et meurt — intérieurement. La curiosité n'est jamais innée. Il faut la faire naître... et l'appétit naît en mangeant! Et la curiosité pour les produits culturels, quand on a dépassé les *choses humaines à portée de sens*. La curiosité à l'égard des qualités de l'intelligence traduite par des lèvres, de la musique, de la peinture — tout ce qu'apporte l'Art!

Le curieux est fort: il est un roi! Il est un roi parce qu'il a accès à toutes choses. Pour lui, point de barrières, de classes sociales. Le grand et le petit entrent en lui, comme il pénètre en eux. Tout est motif d'émerveillement, source d'étonnement continuel. Rien ne le lasse. La randonnée au milieu de nos paysages humains l'enchante: il sait qu'il n'est que de passage. Il salue, cligne des yeux. Ou flétrit ce qui mérite sa réprobation. Montre d'un doigt souverain ce qui ajoute à la confusion des esprits. Dénonce l'imposture, quelle qu'elle soit. Il est à la fois au-dessus de la mêlée et impliqué dans le coeur des choses. Parce que c'est son devoir d'homme — et de dieu en devenir! Parce qu'il voudrait que chacun se nettoie de ses scories, se débarrasse de ses épouvantails à moineaux, se contraigne à se dégager de ses servitudes individuelles qui abrutissent. Parce qu'il espère qu'il jettera une graine d'étoile qui germera dans le coeur, l'intelligence et l'âme de ses compagnons humains. Parce qu'il veut ardemment que les êtres qu'il rencontre, ou ceux qu'il ne connaîtra jamais personnellement sur terre, soient à la hauteur de leurs rêves les plus beaux, qu'ils soient de plus en plus conscients qu'ils sont des enfants de la Lumière. Parce qu'il pressent une humanité à venir, un autre espace et un autre temps, il voue sa vie à la restauration de l'homme et de la femme. Il n'est pas question de bonheur immédiat pour lui — du moins comme l'entendent ses contemporains.

Il est complètement indifférent au fait de savoir si la vie lui offrira la possibilité d'acquisition d'une résidence secondaire — voire principale— il sait que la Vie dont il se réclame lui donnera d'emblée ce qu'il lui faut pour accomplir son oeuvre sur les plans humain et divin. L'enjeu de toute son entreprise: sauver l'âme humaine — par tous les moyens! Les siens sont d'ordre esthétique. À sa table de travail, riche de tout ce que ses sens ont emmagasiné, il brode, cisèle son oeuvre. Emmitouflé dans sa certitude que son immobilité créatrice n'est pas statique — mais active!

Son royaume: l'âme humaine!

Neuvième chapitre

Un Art nuancé

Savoir causer est un art délicat et plein de saveur! Les propagateurs de l'enseignement prétendent qu'il y a différents niveaux de langage: populaire, familier, correct et littéraire. En théorie, je veux bien l'admettre. En réalité — et une élémentaire observation objective suffira à étayer mes dires —, à écouter les gens parler — et à en lire plusieurs —, on serait porté à croire qu'il n'y a qu'un seul niveau de langage: le plus vulgaire. Dans l'articulation, la prononciation, le lexique rudimentaire. A croire que les maxillaires ne fonctionnent plus. Et que les circonvolutions cérébrales sont littéralement vrillées par les stridences du machinisme exacerbé! Pourvu qu'on puisse exprimer «en gros» ses idées, ou plutôt ses reliquats d'idées, illustrées abondamment par des pantomimes et des mimiques suffisamment éloquentes, on se déclare apte à la communication. C'est cette indigence particulièrement alarmante, sur le plan du discours culturel cohérent, qui explique la popularité grandissante de la communication non linguistique. Quand une ramification singulière et intéressée de la sémiologie se met de la partie, on en arrive à enseigner, dans les institutions éducatives supérieures, les mérites de la gestualité — comme s'il s'agissait d'un moyen infiniment plus efficace de communication. Je ne mésestime nullement le gestuel dans l'échange humain — je le mets à sa vraie place, dans la hiérarchie de la communication culturelle. La gestualité accompagne le verbe, elle ne le précède pas, ni ne le suit. C'est entendu: certaines «choses» peuvent passer dans un jeu de physionomie — mais le plus souvent, quand on le perçoit, cela relève de l'interprétation personnelle d'une «longueur d'ondes» commune, et non d'un message intellectuellement déchiffrable. On met beaucoup trop l'accent sur cet automatisme que renforcent les habitudes quotidiennes. A mon avis, la gestualité est un succédané de l'échange verbal structuré qui est une délectation raffinée pour l'esprit capable de goûter les charmes nuancés de l'intelligence d'autrui. Et, par extension poétique, certains utilisent des formulations relativement sibyllines, pour afficher un manifeste dédain à l'égard de ce qui est immédiatement intelligible pour la conscience. Ce qui a entraîné un mouvement presque collectif d'adhésions. Cette quasi-unanimité dans la facilité de la communication embryonnaire trouve sa justification dans l'enseignement, dans le caractère débilitant de certaines productions cinématographiques, dans la profusion des images qui supplantent le langage. Celui-ci est un instrument remarquablement articulé propice à l'approfondissement de la pensée. De crainte que l'homme moderne n'aille trop loin dans la découverte de lui-même, par le langage structuré, et qui demeure l'outil par excellence pour scruter les profondeurs, les manipulateurs de foules, conscients parfaitement du danger que représente le langage organisé en pensées ordonnées, encouragent délibérément l'emploi de l'image dans l'information, la publicité, l'enseignement. Ils savent pertinemment que l'image incarne le sentiment d'une genèse perceptive, qui peut indiquer les pistes sommaires pour une compréhension approximative d'un fait réel. Toutefois, l'image ne favorise certainement pas le cheminement d'un itinéraire intra-circonlocutoire ou sinusoïdal de l'intelligence individuelle. L'image aplanit, nivelle, banalise. La même pour tout le monde. Et chacun puise dans le réduit exigu de l'imagerie populaire. Phénomène similaire dans la gestualité: les possibles sont restreints. Quand on les a épuisés, il ne reste qu'à les rabâcher! Seule logique de cette saturation: un espace social étale, sans couleur, sans saveur, sans relief — sans âme! Comparée au langage travaillé et employée dans des perspectives régénératrices de l'individu, l'image est une bulle d'air qui éclate à la surface d'un étang ou séjournent des eaux croupies. Le langage est une rivière limpide — du moins pour ceux qui y nagent avec grâce! On pourrait me rétorquer que des études récentes sur la communication non linguistique ont démontré que ce mode d'expression s'avère un excellent moyen de transmission de la pensée. De la pensée? Laquelle? Ce résidu, ce magma informe? Et qui ne prend sa forme précisément qu'avec le langage. Ce que je dis n'est pas il une simple rhétorique! C'est une base rigoureusement scientifique, où la théorie établit nos structures. L'image, ou les simagrées, le gestuel et le son constituent des analogues, de la réalité: ils ne peuvent créer une réalité structurante positivement discursive. Même quand on affirme que l'image vaut mille mots, il n'en demeure pas moins qu'on en utilise bien davantage pour l'expliquer. Je le répète: l'image et la gestualité participent de l'interprétation. Leurs messages varient d'un interlocuteur à l'autre. La même image peut signifier plusieurs choses, selon les spectateurs qui la regardent. Quant aux gestes, nombre de destinataires n'en saisissent nullement la signification, quand ils ne sont pas totalement imperméables à ce genre d'extériorisation. Ce que je dis de la gestualité et de l'iconographie est d'importance culturelle, parce que ces deux moyens d'expression ont envahi notre monde contemporain et y déterminent des conséquences dans l'écriture poétique, objet de ma démarche. Lorsque j'aborde des thèmes qui semblent ne pas se rattacher à l'enjeu de ma démarche réflexive, c'est pour mieux démontrer l'existence d'incidences significatives dans la pratique de l'écriture. La preuve: la plupart des plaquettes de poésie qui inondent le marché, chaque année, sont agrémentées de dessins, regorgent d'illustrations, aux dépens de la matière à lire. Le texte est resserré en quelques lignes cursives, en haut de page, laissant le reste au «blanc» vertigineux d'insignifiance. Que de gaspillage! En dire le moins possible! C'est le seul moyen de ne pas révéler son inculture. Rester dans le vague, l'abstrait — l'image couvrira le déficit mental. Ou pour montrer qu'on a quelque teinture de «conscientisation» politique, faire des collages, à partir d'emprunts disparates. Le banditisme poétique a ses *gangsters* stipendiés, ses sicaires à la solde de la Bêtise! Sans oublier la mamelle d'une littérature grassement nourrie: la pornographie. Avec images! Un jour, à propos de cette diffusion d'images insensées qui déferlaient dans l'aire de l'écriture poétique, j'avais écrit, et je le maintiens encore aujourd'hui: «A un peuple de «sans-desseins», on donne des dessins.» Ce jeu de mots m'avait plu: il résumait ma pensée. Quand on aime vraiment une personne, on ne lui offre que le meilleur de soi-même. Voilà une lapalissade que devraient méditer longuement nos criards publiés en poésie. Si la poésie apprend quelque chose d'absolument essentiel sur la nature humaine, c'est d'aimer! Et non pas de se contempler l'ombilic! La poésie comporte évidemment une technologie particulière, des propriétés caractéristiques — comme n'importe quelle autre discipline de l'activité humaine. Elle stipule, dans son contrat d'engagement authentique de l'individu, un entraînement préparatoire, une zone intermédiaire — d'expérimentation technique — et aussi une vérification constante de ses dires dans la réalité vivante. La poésie, en somme, est une réalité structurante dans une réalité structurée. L'univers se passe de nos architectures éphémères, qu'elles soient urbaines, éducatives ou gouvernementales. L'univers obéit à ses propres lois qui régissent l'ensemble des mondes. La poésie, de son côté, structure l'individu qui, dans l'expérience de l'isolement, apprend à s'adapter aux rythmes supérieurs. Il ne fait plus seulement que les subir: il participe, de certaine façon, mystérieuse et sous-jacente, à l'évolution des mondes — c'est-à-dire qu'il est dans le courant de la Vie. Celui qui se limite au monde extérieur est emporté dans un tourbillon qui le dépasse. C'est vraiment là que réside l'importance de toute activité artisanale: l'individu descend en lui-même, dans la région sacrée qui demeure reliée — et elle seule! — à l'ensemble structuré du cosmos. Nous vivons l'époque du trou de serrure. Le groin ne cesse de fouiller dans son crottin. Alors qu'il serait plus profitable, au lieu de ratiociner sur la «textualité à structure variable», de palabrer sur la société aliénante phallocrate, de débiter ses petits boudins de sottises sanctionnées par des éditeurs prévaricateurs et véreux — de regarder vers le haut. La poésie n'a pas besoin d'images: elle peut enflammer l'imagination, en lui suggérant d'immenses champs d'azur! L'image appauvrit, tue la plasticité imaginative. Une poésie messagère des multiples ciels à aimer greffe des ailes à l'âme humaine.

Un mot maintenant sur l'image filmée. Lorsque je soutiens que l'image mobile affaiblit, c'est que je constate que, non seulement l'image prive l'homme de ses propres capacités de représentation d'une réalité proposée, mais, à cause des importants moyens de diffusion dont *elle* bénéficie outrancièrement, et l'étiole physiquement. (Pour assurer leurs arrières, les despotes nazifiants ont mis de l'avant des politiques d'exercices accessibles à la majorité. Je reviendrai là-dessus.) Le cinéma est une école d'inaction, intérieurement, parce qu'il empêche l'homme d'actionner sa faculté représentative, qui est l'aliment et le levier de son imagination. Intellectuellement: les mobiles profonds échappent aux spectateurs. Les subtilités d'atmosphères, les pensées intimes, les reflets imperceptibles à l'oeil, l'âme des choses et des êtres, tout ce qui fait la richesse d'un roman glisse entre les mains, les yeux de l'homme, qui en est réduit à recevoir ce que les organisateurs du cinéma ont voulu lui présenter. Moralement: à quelques rares exceptions près — une sur mille! — depuis vingt ans de déferlement cinématographique, les productions rivalisent d'imbécillité où la violence le dispute à la grossièreté, où l'on utilise les vieux clichés usés jusqu'à la trame, où l'on ressasse les thèmes les plus éculés. Les grands thèmes lumineux ont été exploités par les créateurs de génie. Dans cette optique, le cinéma peut être un accompagnement analogique: il peut susciter le désir de lire l'oeuvre écrite. Dans ce domaine, comme ailleurs, il est établi de façon définitive que c'est l'argent qui décide, qui oriente, qui fixe les normes. Les imposteurs de l'Art n'ont qu'à remuer du croupion, et les sommes abondent! Un Jean Cocteau, un Renoir, un Chaplin, un Bergman, un Eisenstein — racheté, à mes yeux, par la «flûte enchantée»— ont construit un monde qui invite, qui ouvre des voies. Un Guitry a mis en images des pièces de théâtre qui valent une attention soutenue. On pourrait en dire tout autant, sinon plus, de ce Louis Jouvet qui incarne le docteur Knock. Et malgré l'estime que je porte à ces génies, je place le livre au-dessus de leurs productions d'images. Et je ne serais pas autrement surpris qu'ils m'approuvent: ils avaient de la culture, parce qu'ils avaient beaucoup lu. Et savaient lire.

Mais je reviens à mon thème: savoir causer. Echanger en profondeur demande de l'attention — autre calembour de bon aloi: de la tension. Et je ne parle pas de cette sorte de félicité électrisante qu'occasionne l'utilisation des «jeux vidéo», apothéose de l'imbécillité. A notre époque d'électronique, on assiste, stupéfait, à un engouement généralisé pour ces boîtes à niaiseries primaires. Chaque foyer s'enorgueillit de posséder l'écran cathodique — sans oublier les «cassettes» et «disquettes» porteuses d'amusements pour débiles mentaux. Je ne m'éloigne pas de mon idée: pourquoi les gens ne se parlent-ils plus? Parce qu'ils contemplent, béats, leurs petits écrans! A la table, à l'heure des repas; le soir, ils écoutent leurs émissions gélatineuses préférées — quand ils ne s'adonnent pas, à leurs jeux favoris: poursuivre le minuscule bonhomme pris de folie sur la surface de la glace colorée, afin d'abattre des avions ennemis. Et quoi encore? J'ai vu des adultes se livrer goulûment à ces plaisirs. Ensuite, ils se plaignent de s'ennuyer, de ne pas mener une vie enrichissante! Ils courent au cinéma ou dans les salles de spectacle. Pour emplir leur vide. Entre eux, c'est le silence, lourd de sons entendus, pétri d'aigreurs nauséeuses. La communication verbale, à l'ère splendide de l'électronique et des véhicules supersoniques? Finie, dépassée! On s'exprime par des images et des sons! Nous n'avons plus le temps de parler, voire de réfléchir. Il faut agir, tête baissée, sourcils froncés. Pareils à des taureaux qui foncent sur le toréador. La finesse de langage? Souvenir d'une époque révolue! Trop d'efforts pour rien. Ça ne «rapporte» pas. Ou quand on s'efforce d'ouvrir le clapoir, de desserrer les dents, c'est pour aboyer, barrir son mécontentement pour toutes sortes de choses: hausse des prix de l'essence, inflation galopante, exagération du flux menstruel, revendications syndicales — tout est motif d'indignation. Parler? Connais pas! Et parler de quoi, à part ce qui compte dans la vie de tous les jours? Justement: de la Vie — abordée avec l'intelligence, le coeur et l'âme. La vie belle et bonne qui foisonne de sujets passionnants. Parler de ce qui est petit et grand, avec la même ferveur. Parler de ce qui ne «rapporte» pas. Parler, animé du désir de communier avec l'autre. Parler, comme écrire, c'est célébrer un rite! C'est un geste sacré — et, de ce fait, il exige la patience, l'ouverture ainsi que la conscience du temps et de l'espace gagnés. De l'ouverture à l'autre, pour qu'il puisse s'ouvrir à son tour, pour qu'il sache qu'on l'écoute, qu'on l'attend — qu'on l'aime. Non entre deux coups de téléphone. Non entre deux rendez-vous. De l'ouverture! Que font les gens dévorés d'intérêts? Ils se replient, calculent, évaluent ce que l'autre peut leur donner: ils veulent consommer sur place, l'âme toute graisseuse. De la patience. Dans nos sociétés, tout est organisé pour tuer cette vertu. On connaît l'apophtegme pragmatique américain: le temps, c'est de l'argent. On consent à accorder des miettes à ce qui promet de fournir, tôt ou tard, du rendement. S'attarder à écouter autrui, le coeur ouvert, l'âme attentive aux signes de l'invisible, et l'intelligence mobilisée totalement, c'est de l'infantilisme de romantiques anémiés! Prendre le temps de formuler sa pensée, dans un français correct, c'est gaspiller son énergie en futilités. Plutôt que de construire ses idées et ses sentiments —un geste, un rot ou un pet suffisent. Et tout le monde est content! Le contentement du ventre. Voilà à quoi nous en sommes réduits. Pourtant, je m'obstine à croire que la causerie telle que la concevait l'honnête homme du XVIIe siècle est toujours à l'avant-garde de la communication authentique. Elle est féconde en imprévus, en subtilités, en créations. Parler est un test, qui constitue un exercice de réchauffement intellectuel. Quand je parle, j'ai le sentiment de créer. Un jour, un inconnu me dit, après m'avoir écouté, que je parlais comme un livre. Je n'en demandais pas tant.

Et d'abord, de quel livre? Ce qui était, pour lui, une simple constatation toutefois débordante d'étonnement pour une inclination langagière considérée comme anarchique, était le plus beau des compliments qu'on puisse m'adresser. N'est-ce pas l'idéal de tout individu créateur: devenir son propre instrument? Parler comme un livre n'est pas un reproche; c'est élever à la hauteur de l'Art un modeste moyen de communication. C'est rendre celle-ci plus unifiante: c'est l'enrichir des nuances de l'arc-en-ciel. Quiconque de bien né a entendu Roger Peyrefitte, lors d'une de ses savoureuses interventions télévisées — enfin la télévision utilisée à bon escient! — dans le cadre d'une série québécoise intitulée «Propos et confidences» — remarquable initiative culturelle d'ailleurs! —, a pu se rendre compte à quel point cet écrivain de haute voltige maniait le verbe. Sans oublier, à l'occasion, l'emploi de l'imparfait du subjonctif de la première conjugaison. Que l'on me comprenne: ce n'est pas que j'en demande autant à mes contemporains. Néanmoins, j'exige qu'ils s'expriment dans un français correct! C'est sûr: ils devront s'efforcer — mais quelle richesse dans l'échange! Chronologiquement, je ne suis pas d'une autre époque; culturellement, je crois que je partage l'idéal des Anciens, dans un humanisme renouvelé. Longtemps, j'ai cherché des fondements solides. Je pense les avoir trouvés. Qu' ils ne soient pas de notre temps de boue et de sang m'importe peu. Ce qui compte, c'est de révéler ce qui aide l'autre à progresser hors lui-même et vers les autres. Bien avant la roue, le langage a été la plus belle invention de l'homme. Et qu'on ne vienne pas me rabattre les oreilles avec le caractère arbitraire du signe linguistique en usage dans tel idiome. Ces signes servent. Le code est un contrat qu'il convient de respecter. Le vocabulaire est un soleil pour l'intelligence. La syntaxe, une nourriture musicale véritablement exaltante. Le langage parlé diffère certes du français écrit. Je n'en disconviens pas. Est-ce une raison pour le triturer, l'avilir? La spontanéité peut être disciplinée. L'homme gagnerait sur ce terrain à maîtriser ses émotions; on contrôle mieux sa pensée. Ne jamais laisser le cheval s'emballer. Toujours maintenir la bride sous une poigne de fer.

Qui nous apprendra à parler?

Dixième chapitre

En poésie: on ne choisit pas, on est choisi!

En poésie: on ne choisit pas, on est choisi!

Une affirmation aussi radicale nécessite une explication. Quoi que prétendent les arrivistes du poétique contemporain, et quelle que soit la qualité des «appelés», je le redis: il y a peu d'élus! Cela tient essentiellement à la fois de la prédestination et de la connaissance approfondie du monde humain, métamorphosé en véhicule de la Parole, qui procède des sphères supérieures. Un assemblage hétéroclite n'a jamais engendré de la lumière, qui préexiste. Des lueurs fugitives, certes; de la clarté éblouissante, jamais! Les poètes qui se réclament de l'automatisme ou de l'improvisation scripturaire — je les appelle les poéticailleurs! — s'ébattent parmi des futilités, des fragments de connaissance — ou, plus précisément, ainsi que je le signalais, sont victimes des fantaisies de créatures diminutives qui habitent le royaume invisible de la nature physique. Ils ne volent pas haut: ils croupissent au milieu de marécages nauséabonds. D'ailleurs, leurs tentatives poétiques disent éloquemment — c'est une façon de parler! — les moisissures qui s'accumulent autour de leur encéphale, comme des cernes. Les taches auriques qui maculent leurs écrits témoignent de leurs sources d'inspiration toutes engorgées de cailloux, s'entend! Quant à nombre de ceux qui tiennent le haut du pavé, ils participent d'un courant d'idées passagères: c'est une mode qui les a portés au sommet de la vague; c'est une autre qui les en éloignera. Dans cette catégorie, on compte bien des inconscients: ceux qui ne jugent que par le modèle d'écriture au goût du jour. Heureux de se conformer au schème fixé, par une sorte de mimétisme caméléonesque, ils se contentent d'exploiter le filon, sans s'interroger outre mesure sur ce qui les incite à écrire de telle façon. C'est la raison pour laquelle je les appelle des inconscients profiteurs. Les autres, ceux qui établissent les grandes lignes directrices de l'écriture, sont les manipulateurs — souvent les ratés de la véritable écriture poétique. Incapables de se hausser à la hauteur d'un idéal qui présuppose une grande exigence esthétique, possesseurs du pouvoir symbolique qu'ils ont acquis à force de contorsions et de flagorneries, ils se drapent des oripeaux d'oracles occultes. La poésie, ils l'ont mise dans leur poche, un mouchoir souillé de sperme par-dessus. C'est ainsi qu'ils «font» dans le poétique. Envisagée dans une perspective historico-poétique, leur pratique d'écriture ne prêterait certainement pas à conséquence: vue de loin, dans l'avenir, elle fera sourire les vrais lettrés nourris des sources les plus pures. Mais étant donnée l'influence qu'ils exercent sur la jeunesse actuelle, je me dois de dévoiler les raisons qui justifient la popularité — je dirais: l'immunité! — dont ils se glorifient. Parce qu'il importe de toujours se rappeler que ce qui verse dans le domaine public perd de sa qualité. Quand ces poètes glapissent leur désir de faire descendre la poésie dans la rue, de la rendre facilement utilisable, ils construisent de toutes pièces un château de cartes — et sur des sables mouvants. La poésie n'a pas à descendre dans la rue; à cet effet, la chanson accomplit son oeuvre de «popularisation». Pour comprendre la poésie, il faut monter vers elle. S'y préparer. Avec le sentiment de la grandeur. Avec majesté. Comme on pénètre dans une église. Pas chaussés de sabots tout crottés. Endimanchés à l'intérieur comme à l'extérieur.

La poésie pour l'homme ordinaire est une imposture! D'abord, parce que l'homme qui se soumet — et c'est le mot qui convient — à la poésie, n'est pas ordinaire; il est différent des autres. Il s'élève au-dessus de sa condition d'homme; il s'éloigne de l'univers du sens commun — introduit, par grâce, dans l'univers de la connaissance esthétique, il vit dans le sein d'un soleil qui le brûle, et qui l'éclaire. Il s'agit d'un malentendu. J'incline à croire que cela procède d'une machination ignominieuse et conçue pour avilir ce qui fait la beauté de la poésie. Les organisateurs de cette imposture ne peuvent supporter l'idée qu'il existe des domaines enchantés, des régions sacrées. L'existence de ces mondes qui leur seraient inaccessibles, n'était leur vouloir pernicieux de l'abaisser et de l'utiliser comme moyen de manipulation des esprits, les choque tellement, qu'ils n'ont de cesse qu'ils n'aient ramené à leurs dimensions ce qui était l'apanage d'une élite. La simple idée d'une élite les outrage. A leurs yeux d'aveugles, une humanité supérieure est une illusion. Cet obscurcissement de leur intelligence est aggravé de formules spécieuses dont ils se gargarisent. Refusant de se contraindre à une discipline rigoureuse qui impliquerait de longues années d'études, de recherches et d'analyses comparatives des écritures poétiques des différentes époques, ils soutiennent qu'il n'y a pas de meilleure poésie que celle écrite à la terrasse d'un café ou dans un restaurant, au milieu du brouhaha. Ils ont besoin de bruit. Et leur poésie est celle qu'enfante le tumulte. Pour légitimer leur singulière pratique ils développent — du moins ceux qui disposent d'un outillage intellectuel élémentaire —, une argumentation spécifique — à savoir: que tout ce qui sort de soi dans l'immédiat, sans conceptualisation préalable, a plus de chances de durer; que ce qui jaillit spontanément est plus vivant, parce que directement relié à la réalité; que l'environnement psychologique et physique joue une fonction déterminante dans l'affabulation; que ce qui est privé de structures finit par en créer une autre parallèle; que le produit fini, s'il n'est pas immédiatement consommable, est destiné à s'empoussiérer dans les bibliothèques. Et ainsi de suite — jusqu'à ce que mort s'en ensuive... Leurs plaquettes? Un immonde fatras de truismes, de sottises — des nullités. Mais vu le pouvoir symbolique dont ils profitent dû à leurs relations, ils réussissent à accrocher l'attention. Nous savons, d'expérience pédagogique, que la jeunesse est prête à adhérer à toutes les théories qui demandent le moindre effort. Quand on lui propose d'accéder à la poésie par la ruelle bordée de poubelles, l'itinéraire lui plaît davantage que s'il lui fallait gravir, humblement, les degrés qui mènent au portique où brillent au fronton les lettres de feu: patience et travail. Le génie émerge dans la solitude intégrale — voire inhumaine. Dans le silence. La poésie n'a rien à voir avec le flot désordonné qui se presse sous la plume, en charriant sa disparité d'idées et d'images. Et puis, il y a les poéticailleurs des puzzles — ceux qui,s'inspirant d'écrits publiés, reconstituent, en empruntant ici une touche, là une idée, les morceaux qui les attirent. Ils tentent de se disculper en mettant, en tête de leurs poèmes, des citations: ils évitent, ainsi, qu'un regard instruit leur reproche de ne pas être authentiques. J'ai déjà reçu des confidences — des aveux, parce que j'avais acculé le bonhomme! — d'un auteur qui s'était mérité un prix pour un recueil qui s'était bâclé de la manière dont je parle. Depuis, il a fait amende honorable: il s'emploie à se cultiver, dans l'attente que la Parole viendra le visiter. Ce n'est pas tout: le travail doit l'accaparer entièrement. Sans compromis. La Parole ne transfigure que celui qui travaille. S' il ne transpire pas en abondance, l'inspiration ne produira pas son effet d'aspiration. Car l'inspiration est une aspiration vers quelque puissance qui dépasse le pratiquant. Vers où? Le bas, l'horizontal, ou le haut. J'ai dit que l'on montait vers la poésie. On ne peut l'appréhender avec une arrogance d'intellectuel soucieux de se singulariser. Seule une préparation méthodique peut la solliciter. Etayée d'une consistance spirituelle: la hauteur du supérieur l'envie irrésistible du Beau. A leur façon, tels des prêtres délégués du verbe incarné dans le Chant, les poètes sont des ambassadeurs de la Parole. Voici pourquoi: un usage voisin de l'abus a vidé les mots de leur contenu symbolique — on ne s'en sert que pour exprimer des effets qu'ils contiennent; et non pour remonter jusqu'à la cause qui les enfante. Aussi, parce qu'on les a vidés de leur substance, ils battent de l'aile à ras de terre. Sous cet angle, imaginons les conséquences spiritualo-culturelles de la poésie à ras de terre! On a trop désiré toucher terre: on s'y enfonce, en oubliant le ciel. Les poètes que j'aime — et il y en a encore! — redonnent aux mots qu'ils emploient leur suc et leur sève: les mots s'arrachent de l'humus et, d'un coup d'aile, s'envolent dans le ciel de leurs origines: ils portent le sceau de l'idée première — transmuer le réel sensible en une sorte de réalité plus élargie, perceptible supra-sensoriellement. Ici, on entre de plain-pied dans l'ultra-sensible, pays des rois. Ils sont des prophètes, des mages. La poésie est liée à la prophétie. Les poètes voient dans l'avenir. Au delà du présent horizon, ils en décèlent un autre. Entre le ciel qui les dilate de délices et la terre qui les pompe, ils cheminent à nos côtés comme marqués d'une empreinte indélébile. Au Québec, en 1986, parler de mythe, c'est s'attirer la foudre des bien-pensants, des spécialistes qui ont tout désacralisé, en rabaissant le mystère de l'âme humaine a une entité pour statistiques. N'ayant plus assez de force d'âme pour pénétrer une oeuvre d'art, on s'évertue à demander aux sciences dites exactes certaines méthodes de décorticage. Résultat: on tue l'art. On paralyse. On ensevelit sous d'épaisses couches de rationalisation des notions telles que le génie, l'inspiration, la prescience. Pendant que paradoxalement, les recherches en para-psychologie démontrent clairement que l'homme peut dépasser les limites que lui assigne l'univers. A mon avis, l'unique dépassement digne de l'artiste, à quoi il doit aspirer, c'est la maîtrise absolue de ses moyens d'expression. Après, s'il est un élu, il accèdera aux sphères du dire magicien porteur d'efficience. Et nous aurons beau multiplier les «ateliers d'écriture», inventorier toutes les possibilités d'arrangement des éléments lexicaux, nous n'aboutirons jamais à la création. Sous prétexte de développer la «créativité», on stérilise celui qui s'y adonne, en le submergeant de techniques. La technologie de l'écriture poétique est individuelle: elle est le fruit de l'effort. Si l'on s'attachait à mesurer les termes dont on se sert et à en délimiter la signification, il y aurait moins d'équivoques. La créativité n'est pas la création. Une image pour illustrer: celui qui laboure farouchement un terrain ne peut-être assimilé en quoi que ce soit à celui qui sème. C'est ainsi dans le domaine de la création littéraire. En poésie, l'homme laboure depuis longtemps. Aujourd'hui, il jette sa semence. Au cours de mon cheminement universitaire, il m'est arrivé de participer à des ateliers d'écriture littéraire. La clientèle étudiante ordinaire était composée d'originaux qui se piquaient de lettres. Ils avaient lu au moins cinquante livres dans leur vie. Tout fiers, ils s'apprêtaient à nous administrer une démonstration de leur savoir. Le professeur, quant à lui, la lèvre goulue, lorgnait les plus belles filles, tout en distillant ses conseils, qu'il voulait judicieux et qui n'étaient qu'amusements et gargarismes académiques héréditaires. Les nouvelles techniques imposaient à chacun de se concentrer — le mot est fort, mais quand même! — sur un thème qu'avait rigoureusement sélectionné le coryphée. Supposons: le temps qui passe. Nous disposions de quelques feuillets. Le professeur nous accordait, montre en main, dix minutes pour pondre — c'est son mot, à croire que nous caquetions dans son poulailler! — notre chef-d'oeuvre. Les dix minutes écoulées, chacun était tenu de lire son gribouillis à voix haute. Les autres buvaient ses paroles, en attendant leur tour. Le rôle du professeur: clamer que nous avions du génie — c'est évident. S'il avait fallu qu'il dise moins que cela — mettons du talent —, il aurait été lynché, expulsé! Il se conformait. Cette anecdote pour soutenir mon propos: aucune méthode de l'authentique création ne s'enseigne — tout au plus, elle inocule le goût des choses bien faites par des maîtres de discipline et modèles dans l'Art. On en aurait tiré un plus grand profit. Allons donc! Les étudiants en lettres sont des génies qui s'ignorent — tous les démagogues vous le proclameront, thèses à l'appui!

Tout cela n'est guère sérieux et, de toute façon, est condamné à s'éparpiller au vent de la Vérité. La Beauté ne s'achète pas; elle ne s'apprend qu'avec une patience infinie; et surtout: elle s'apprivoise comme une vestale des temps anciens. Et je voudrais faire comprendre que le Bien que l'on prend à sa fréquentation vaut qu'on se soumette à ses rigueurs inflexibles. Les tièdes peuvent retourner à leurs «ateliers d'écriture».

Onzième chapitre

Ontologie ou épistémologie?

L'occultation provisoire de l'inspiration comme élément fondamental dans l'étude d'oeuvres poétiques, explorée dans la dimension englobante de l'ontologie, a contribué énormément à obscurcir l'intelligence humaine. C'est qu'on assiste à l'émergence et à la manifestation diversifiée — dans toutes les branches de la connaissance — de l'épistémologie positiviste. Ce mode de connaissance extérieure se limite au monde visible, le palpable — même ce qui échappe à l'oeil nu peut être inventorié, à l'aide d'instruments puissants. Ce procédé d'analyse dite expérimentale, transposé dans le domaine poétique, coupe le théoricien de la littérature du supramatériel, parce qu'il relève de l'ordre des sciences exactes. Or, la poésie — et je pourrais ajouter tout ce qui est création d'oeuvres esthétiques — outrepasse les mécanismes méthodologiques. C'est pourquoi je prétends que la spéculation exclusivement intellectuelle se borne aux lois du monde extérieur. Je dis que toute la technologie langagière est tributaire de l'inspiration et que, si elle aspire à l'éclosion de la Parole des sphères, elle présuppose l'adoption d'une attitude intérieure réceptive aux courants qui proviennent du haut, demeure sanctifiée de la Beauté. Quand j'affirme que l'expression individuelle, totalement dégagée des entraves linguistiques liées à une époque déterminée, ne trouvera son lieu privilégié d'épanouissement que dans la mesure où le poète sera affranchi des influences idéologiques hétéroclites qui l'environnent, je ne veux pas établir une postulation d'attitude posturale — métaphoriquement parlant! — axée sur le désintéressement systématique à l'égard des productions symboliques contemporaines. Ce serait une notion erronée, rétrécie, qui ne tiendrait pas compte de l'impérieuse nécessité, chez tout agent culturel, d'accumuler les connaissances élémentaires — voire acquérir l'érudition. Le poète doit tendre, de toutes ses forces, vers l'universel; par conséquent, il lui incombe d'assimiler, en première étape de son développement intellectuel, le patrimoine littéraire — au moins occidental. Ce qui devrait l'accaparer pendant plusieurs années. Ensuite, par la voie des correspondances vibratoïdes, porter son attention sur les modèles qui sont le plus en rapport avec ses goûts et ses inclinations. Alors, s'opère la Catharsis, la décantation. Ces quelques phrases suffisent à démontrer que je ne prône nullement la désaffection infatuée à l'endroit du stock culturel: il constitue un acquêt, un patrimoine rentable, sans lequel rien de valable ne peut être construit. Parce que la littérature est la fleur de l'intelligence humaine. Ceux qui déclarent qu'il faut échapper à tout prix aux influences livresques n'ont rien compris: ils répandent des sophismes — qui déterminent des conséquences désastreuses; de toute façon, leur entreprise poétique est condamnée, puisqu'elle ne repose sur rien. Non seulement je recommande de lire abondamment, dans le dessein de développer son discernement, mais je suggère à tous ceux qui ont franchi les deux premières étapes déjà citées de transcrire les écrits de leurs maîtres — pour se familiariser encore plus intimement avec les nuances de leur génie. Tout cela participe de l'apprentissage de la technologie spécifique de l'écriture poétique. Et alors, quand on s'estime parvenu à une maîtrise du verbe humain, on peut prétendre — et seulement à ce stade de notre cheminement — à construire des structures absolument idiolectales — c'est-à-dire: qui résultent de leur laborieuse et patiente expérimentation. Encore, à ce niveau de connaissances extérieures, nous demeurons en activité créatrice dans l'univers humain: nous utilisons les matériaux qu'il nous propose. Nous n'avons pas sollicité les puissances indicibles de l'imaginaire — non plus que bénéficié du rayonnement de l'inspiration de la supra-conscience. C'est dire que le chemin est très long pour atteindre les rives souveraines de l'Authenticité. Cependant, parcours qu'il faut connaître, si l'on doit bâtir sur du solide. Cet itinéraire, je l'appelle le référentiel éthicoesthétique, ce qui est le point de départ de l'architectonique poétique individuelle. On ne peut s'y soustraire — sous peine de vagabonder dans les labyrinthes du balbutiement d'analphabète. Parce que, ramener à la surface de la conscience les splendeurs de la supraconscience, suscite, dans son processus d'intégration progressive, le savoir millénaire inscrit dans l'organisme humain: dès lors, le poète rencontre la Route royale.

Ce qui fait la différence capitale entre l'ontologie et l'épistémologie, c'est que celle-ci se rapporte uniquement à la manière d'assembler les matériaux de construction de l'énoncé poétique, alors que celle-là s'intéresse principalement à l'être, ou l'inspiration sous-jacente qui provoque les manifestations scripturaires. D'aucuns ont élaboré des théories du poétique, dans l'intention de dévider de sa substance: en se concentrant uniquement sur la matière dont le verbe est constitué, ils ont omis de scruter la transparence motivante qui préexiste. Dans le souci de chasser le mystère, ils ont enlevé la pulpe, la chair du verbe, de telle sorte qu'ils n'étudient que le squelette, quand ce n'est pas morbidement un cadavre. Un verbe qui ne respire plus; qui ne bouge plus — bref, des structures facilement analysables parce que contrôlables. Ce procédé d'approche des oeuvres esthétiques rassure: l'objet de l'étude n'inspire ni crainte ni respect. On travaille dessus comme on charcute de la viande. Ce n'est qu'une question de méthode: on finira par lui faire cracher le morceau. Pratiquée dans des proportions démesurées, cette méthodologie empirique dégrade le pratiquant en obnubilant les ressources de son âme — il ne voit plus que ce qu'il regarde: des mots. Lui-même se transforme en machine à mots. Pourvu que ceux-ci soient ajoutés bout à bout dans un raisonnement qui se tienne, il édifie des théories qui n'ont de semblant de vie que l'éclat qu'ils reflètent: un rien qui brasse du vent. Je crois que l'étude véritable d'une oeuvre esthétique doit s'inspirer d'une connaissance à la fois intuitive et rationnelle des lois organiquement solidaires qui gouvernent l'entité humaine. Toujours prise dans son ensemble. L'admission de ce principe s'impose, si l'on veut aller loin. C'est que le poète obéit à des rythmes internes qui font écho aux mouvements des sphères. Il oeuvre au carrefour de deux grandes avenues essentielles, et dont l'exploration attentive garantira la véracité dans son enseignement: le temporel et l'éternel. Certaines choses doivent être dites: certaines vérités, qui concernent l'être tout entier dans sa destination spirituelle, appellent des resucées: l'homme contemporain a perdu sa mentalité de fils de la lumière. Quand il oublie — ou plutôt parce qu'une immonde catégorie d'individus fait peser sur sa conscience un poids d'influences hétérodoxes qui faussent son jugement! — que des organes psycho-spirituels correspondent à ses organes physiques, il n'aborde le monde tangible qu'avec ses sens, qui ne captent que le sens de la surface des choses. C'est ainsi que s'est formé un corpus d'oeuvres poétiques — du moins que l'on tient pour telles! —, et qui ne sont que projections stéréotypées: le poétique organique. Ce terme, d'ailleurs, englobe toute pratique dite cérébrale: il désigne les fabrications d'oeuvres nées d'une utilisation exclusivement matérielle. Ici, je me permets une illustration qui sera destinée à éclairer ce que j'entends par produit culturel authentiquement inspiré du haut. Qu' est-ce qui fait le mystère d'un vitrail, sa beauté et le ravissement dans lesquels il plonge le spectateur émerveillé? Les matériaux qui ont servi à sa fabrication? Pas du tout. La plupart du temps, n'importe quel artisan, pour peu qu'il soit habité du désir de bien faire, peut donner un bon résultat. Et encore: il existe, dans ce domaine, une hiérarchie de valeurs et de goûts que transmettent les maîtres en la matière. Mais ces derniers seront impuissants à produire cet arc-en-ciel sous la voûte et cette diaprure subtile sur le dallage de la nef. Une seule réponse: c'est le soleil, qui se sert de la structure que l'homme lui prête pour se manifester. Ce sont ces rayons qui traversent la vitre et qui produisent le miracle qui fait la délectation des connaisseurs. De même que pour les oeuvres esthétiques porteuses d'efficiences qui, à la faveur d'un envoûtement, conduisent à la contemplation illimitée — ainsi que je le disais —, le résultat produit par le mariage heureux du vitrail et des rayons qui le pénètrent mène celui qui baigne dans ses feux à la joie de la connaissance de son identité, au sein d'un tout organiquement supérieur. La compréhension de cette imagerie poétique exige une transposition dans l'univers de la connaissance esthétique. Ce ne sont pas les structures du dire en soi qui enfantent la lumière: c'est elle qui magnifie les éléments dont elle se sert en les ennoblissant. Ainsi, certaines toiles ne peuvent être appréciées que sous un angle précis, dans un éclairage particulier — sinon, l'on n'a qu'une vision partielle de l'intention du maître; de même, l'oeuvre poétique esthétique ne livre ses secrets qu'à la lumière du postulat que j'énonçais: découvrir la provenance de l'inspiration. En ce sens, la fonction essentielle du poète de génie — j'en connais: je fournirai, en fin de volume, la liste de quelques compagnons du parcours ensoleillé! — réside dans sa capacité maximale de développer une musculature verbale — le vitrail — qui soit en relation directe avec le principe vital — le soleil, ou l'architecture archétype pré-existentielle. Quel programme! De quoi décourager l'impuissant, le vrillé de l'encéphale, à n'en pas douter. Il le sait. Et pour compenser son absence de talent, il échafaude des argumentations tendancieuses: il cherche — le terme le dit — à cacher quelque intention, laquelle est de substituer aux structures propices à la descente — à la Visitation! — de l'inspiration de la supra-conscience, les apparences anémiques de son dire débile. La jeunesse, qu'on n'a pas instruite, n'ayant d'autres qualités que sa spontanéité informelle, n'hésite pas. Au lieu de «se taper» — comme les professeurs le crachent — des tonnes de livres, elle se livre, naïvement convaincue d'inventer quelque chose de neuf, à ces petits exercices dont j'ai parlé au chapitre précédent, en agrémentant fort à propos d'une anecdote qui en relatait l'atmosphère générale. Persuader une jeunesse que tout a été dit, c'est lui insinuer qu'il ne lui reste qu'à tourner le dos aux oeuvres du passé. Outre ce que les hommes ont dit, et quelles que soient les formes qu'ils ont empruntées pour le dire, le poète, de par son unicité ontologique, peut construire la symphonie de son dire, dans la sérénité que procure la communion avec le divin!

Douzième chapitre

La Vérité, le Bien et la Beauté

Préoccupation thématique de taille à entretenir la dialectique didactique: pourquoi écrire?

La question revêt une importance capitale pour le questeur, le chercheur de la Vérité. Car la démarche réflexive théorique débouche sur le triple principe de toute création artistique, dépassant le poétique: la Vérité, le Bien et la Beauté. Ce qui m'intéresse particulièrement aujourd'hui, c'est ce qui concerne la Vérité. J'ai déjà abordé les différents thèmes qui se rattachent à la Beauté; j'ai expliqué les propriétés caractéristiques de l'oeuvre poétique esthétique. Maintenant, j'aimerais approfondir la question de la motivation essentielle. Qu'il le veuille ou non, l'homme est engagé dans un continuum spatio-temporel: il habite un espace et suit le cours du temps qui lui est dévolu. Dans l'univers physique, il semble, sous l'angle pessimiste des philosophies matérialistes, enseveli dans le temps qui le conditionne et délimite son champ d'action. Il éprouve donc le sentiment d'une coupure d'avec le supérieur: cette brisure coince sa conscience entre les conditions concrètes de l'existence et de vagues intuitions — pourtant réelles! — qui le traversent. Cette discontinuité radicale entre l'univers extérieur et le monde intérieur l'amène à considérer le spectacle quotidien comme l'unique étendue de ses investigations. Alors, il s'arme de techniques, nées des plus récentes découvertes scientifiques, pour l'explorer et l'expliquer. Fasciné par la possibilité d'explorer la matière avec des instruments, il oublie que celle-ci a été scrutée par les grands initiés — et sublimée par le Maître de tous les temps, le Verbe incarné: le Christ! Si j'élève à de hautes considérations métaphysiques le débat sur la Vérité possiblement atteignable par la pratique de l'écriture poétique, c'est parce que l'homme qui écrit subit des influences et des pressions de toutes sortes, et à différents niveaux de correspondances. Je me bornerai à le rappeler. Le lecteur sait d'ores et déjà à quel schème de valeurs je me réfère. En admettant la coexistence des innombrables sollicitations vibratoïdes dans l'univers de la création artistique et à quelles possibles influences est soumis le poète, je pourrai mettre en évidence l'exigence fonfamentale qui force l'homme à s'exprimer. Cette exigence est la même qui assure la perpétuité chronologique! L'écriture n'est pas seulement le prolongement symbolique de l'homme. Elle manifeste un désir profond, ancré depuis les origines, de résister au déferlement du temps. Henry Miller, dans sa tentative d'élaboration cosmogonique, avance l'hypothèse suivante, laquelle épouse mon propos à merveille: «C'est une immense vague d'harmonies dans l'espace, d'où naît un arrêt, dans la grande partition cosmique.» En essayant d'expliquer la formation des mondes, Miller aboutit à ces conclusions. Transférée dans l'univers de la création artistique en général, et littéraire en particulier, cette explication trouve confirmation dans les observations que j'ai faites depuis que je cultive les lettres et que je pratique les maîtres. Ce levain comme une épine plantée dans l'âme des êtres, est de même nature que celui qui soulève le dynamisme fondamental universel à fractionner l'éternité en parcelles temporelles où l'âme s'incarne, afin de parvenir à la perfection de sa forme individuelle consciente. C'est ainsi que j'interprète que l'homme a été créé à la ressemblance de Dieu. Non qu'il soit Dieu lui-même — il chemine vers sa propre divinité, qui est conditionnelle: C'est purifié des liquéfactions inhérentes à la nature humaine qu'il accède à d'autres sphères. Dans la discipline qui nous occupe dans le présent essai — l'écriture poétique —, l'homme actualise sa potentialité d'accomplissement individuel, par la *réponse* qu'il donne à l'appel. La rareté des «élus» ne doit jamais empêcher le créateur de faire sortir de lui cette ineffable étincelle qui le relie au supérieur. Cette étincelle est devenue consciente par l'incarnation, d'où la justification de l'existence humaine. Sans la vie, nous n'existerions pas en tant qu'entité humaine réfléchie. Malgré ce qu'on fait, à notre époque, pour étouffer cette intuition, si elle prend racine profondément dans l'argumentation ou rayonne sous l'aspect de témoignages probants, ce sens du divin affleure à la surface de la conscience — et jette ses fleurs! L'irradiation phénoménale du mystique explique partiellement un courant d'idées qui tend à hiérarchiser des valeurs dites traditionnelles, et qui ne sont que les vraies valeurs, basées sur une certitude: nous sommes immortels! Quand je dis que l'éternité individuelle consciente est conditionnelle, je ne me réfère nullement au pélagianisme.D'ailleurs, cette théorie a été réfutée par l'Église au Ve siècle. Je n'attribue pas le salut au seul mérite: ce serait diminuer l'Amour divin. Après tout, les parents aiment leurs enfants, même si ceux-ci ne cessent de ruer dans les brancards. Par l'imagination, représentons-nous l'Amour infini... Comme l'homme sent en lui quelque chose de différent, d'essentiel, il résiste au temps. Dans l'espace qu'il occupe, il construit des pyramides, des cathédrales; il compose des symphonies; il peint des tableaux; il sculpte des statues; il écrit des livres. Son existence ordinaire s'intègre dans la trame transcendante de l'incommensurable dessein du ciel. On peut donc affirmer, à partir de ce concept, que l'homme s'inscrit dans une trans-historicité. Il n'est pas uniquement marionnette dans l'Histoire. Le caractère transitoire de sa vie est exhaussé par son désir d'immortalisation, ce qui est essentiellement divin. Son intelligence va à la rencontre du supérieur, par ses oeuvres dans lesquelles et à travers lesquelles il se re-découvre, se re-crée, dans un tout qui l'englobe: elle est organiquement incorporée dans une dimension globale. Et l'écriture manifeste la hauteur de l'homme qui sent qu'il y a autre chose que ce qu'il voit, sent, entend. Le poète, lui, voit, sent et entend avec les sens de son âme, de son corps spirituel, dont il perçoit, plus ou moins clairement, les battements. «J'entends des sons lointains qui cherchent des caresses», chante Léo Ferré, quand il est inspiré. J'entends des sons qui réclament des structures esthétiques, autrement dit. Surtout: j'attends des âmes patientes, émues par les musiques des sphères, pour permettre à ce qui vient de l'au-delà, ou du dehors, du tréfonds isolé de la ferraille du siècle, de se manifester, de s'introduire dans le temps humain, sous des dehors accessibles à la conscience. Oui: l'homme n'écrit pas pour se «défouler». Évidemment, en observation clinique, l'écriture peut être considérée comme une excellente thérapeutique. Soyons fermes dans nos définitions: quand elle relève de déséquilibres, il s'agit d'une écriture désorganisée ou participant du règne riverain inférieur. Sans intérêt esthétique. Au niveau médical, elle peut certes représenter quelque chose de significatif — pas pour l'esthète, qui n'a que faire de fantaisies plasmatrices. Les manifestations cytoplasmiques ne passionnent que les faibles, qui ignorent les manifestations des univers emboîtés: les mondes inférieurs les fascinent parce qu'ils n'ont pas voulu découvrir les univers supérieurs. Ou par médiocrité. L'écriture dite de «défoulement» dégrade le pratiquant qui s'épuise à brasser des tempêtes émotionnelles. L'homme fort place l'écriture à un autre niveau: il sait que l'aiguillon qui le travaille est celui-là même qui écarte les pétales d'une rose, qui sourit à la lumière. Je répète ma question: pourquoi écrire? Pour arrêter l'écoulement torrentiel du temps. Pour prendre dans les mains de l'âme cet instant de grâce, ce sentiment d'amour, cette étreinte des prunelles, et leur restituer la signification ontologique qu'ils véhiculent et que le temps, dans son déferlement fluidique, soustrait aux regards intérieurs de l'homme. Celui-ci, absorbé dans ses activités journalières toutes extérieures, arrive difficilement à saisir la portée des «signes» qui lui sont adressés le long du jour — voire de la nuit. Il faut des intermédiaires. Le poète est le médiateur: celui qui sert de canal — et qui transmet. Les structures qu'il emploie doivent donc nécessairement être investies de pouvoirs capables de toucher le coeur et l'intelligence du destinataire. Le poète, parce qu'il voue sa vie à ce qui transfigure la banalité, arrache l'homme à ses chemins d'infortune — il le guide vers lui-même. C'est la raison pour laquelle il consacre sa vie tout entière à d'austères études. Tout ce qu'il a de meilleur en lui — sa sensibilité, sa mémoire, son intelligence — est utilisé pour servir l'humanité. Et c'est son soleil qui est en feu. Il est douloureusement conscient de ses devoirs. Il a reçu des dons: il doit s'en servir!

Après cette explication à caractère métaphysique qui apporte un supplément d'informations sur le ressort qui oblige le poète à nommer, l'on est en mesure de pressentir le processus même de la création. Quand un homme et une femme s'unissent, ils soupçonnent que, dans les conditions idéales requises à la conception, un enfant naîtra de leur tendresse. Dans l'univers de la création, celui qui se fiance au ciel sait — ou espère seulement — que, de cet acte sacré qui l'unit à l'intérieur, jaillira la clarté qui présentera la spécificité de la discipline dans laquelle il se spécialise. Statuaire, musique, peinture, littérature. À chacun selon son destin — et sa vocation. Je tiens à conserver ce vocable: vocation. Ce sentiment d'être né pour une action précise stimule et fouette celui qu'il hante. Je le crois: chacun vient sur terre pour témoigner, pour jouer un instrument dans l'orchestre humain — et sa musique se réverbère et se répercute éternellement. Quand on aura retrouvé cette conscience du divin présent à chaque instant, on adoptera des attitudes plus riches en gratitude. «Un merci me parcourt l'être jusqu'à l'âme», écrivais-je voilà deux ans dans un poème[1]. C'est ce que je ressens quand j'écris: un cri de la moelle, qui rend grâce à la Vie de m'autoriser à la nommer, à l'interpeller, à la vivre.

Et, pour tout dire: j'écris comme je prie — avec la conviction d'être écouté... et exaucé! Le moindre mot sorti de moi prend des proportions qui me perpétuent au-delà de la page blanche. Je n'ai pas l'impression de souiller la virginité de celle-ci: au contraire, j'ai la certitude de contribuer à la justification de son existence: tout espace vierge est destiné à s'illuminer sous la foudre de la Poésie!

---

1. Muir, Michel, *Les Épées de l'hiver*, Paris, Les Éditions Saint-Germain-des-Prés, 1983, 104 p.

Treizième chapitre

Une plume à la main

Mes origines prolétariennes — mon père était électricien —, dans un petit village ouvrier de l'Estrie, ne me prédestinaient pas logiquement à la littérature. Mes compagnons d'enfance, aujourd'hui devenus défricheurs, manoeuvres, comptables, vendeurs de pneus recyclés dans l'assurance-automobile, un seul peintre, et, bien que ce ne soit pas encore une profession même s'il en tire fierté, un pédophile — grandissaient dans une atmosphère psychologique qui n'encourageait guère la culture à s'épanouir. J'allais l'oublier: quelques-uns ont goûté la paille humide des prisons. L'un d'entre eux, celui avec qui je me battais le plus souvent, s'est suicidé. Bref, un milieu très pauvre, qui ne prêtait pas de cadre propice à la floraison esthétique. Ce préambule pour dire ceci: que dans le village, personne ne lisait. Bien entendu, je mets à part les vieilles filles moustachues, à l'haleine fétide et à la mâchoire aurifiée, qui compulsaient leurs livres à l'eau de rose; le professeur de français qui vérifiait, à chaque trimestre, le programme établi par les responsables de l'éducation; et les rares fouineurs teintés de politique qui s'enorgueillissaient d'informer leurs vis-à-vis sur les derniers développements électoraux; outre cette mince couche de la population laborieuse, nous vivions dans la sérénité de l'inculture. Et ce beau monde du quotidien ne paraissait pas souffrir d'un manque quelconque. Comment aurait-il pu sentir ses lacunes? Nul ne l'instruisait — sauf en ce qui concerne la façon de fonctionner dans la société. Plaçons-nous dans le contexte des années cinquante. Le livre était un luxe, que monopolisaient les classes financières, lesquelles, paradoxe corrélatif de l'ignorance populaire générale, ne lisaient pas davantage, ou juste ce qu'il fallait pour réussir ses études afin d'exercer, le moment venu, après des études classiques douloureuses comme un enfantement, une profession libérale. À ma connaissance, de la fournée de mon enfance, deux élèves plus patients que les autres et, il convient de le reconnaître, plus soucieux de leur avenir matériel, se sont rendus jusqu'à la fin: l'un est notaire, l'autre procureur. Le premier passe son temps parmi les paperasses administratives, l'autre profite du peu de temps que lui laisse son activité libérale pour jouer au golf. Si je rappelle ces faits, c'est pour que le lecteur prenne bien conscience que le milieu dans lequel on essaie de vivre exerce une influence prédominante sur la jeune intelligence. Le milieu que j'évoque ici se situe d'emblée dans l'univers du sens commun, qui considère la culture comme superflue, quand il ne la taxe pas d'inutile — voire de dangereuse! J'ai dit, au début du présent ouvrage, que la culture consiste à savoir lire. Je voudrais, pour l'intérêt que cela peut offrir au lecteur qui aspire à acquérir un talent de plume, ou à celui qui désire mieux lire, raconter ma rencontre déterminante avec la lecture, les répercussions positives qu'elle a provoquées et la technique que j'ai apprise au cours de mon développement intellectuel — intentionnalité didactique qui anime mon désir de transmettre le meilleur que j'ai tiré du stock culturel existant.

En dehors de quelques ouvrages scolaires, que nos maîtres nous obligeaient de consulter pour franchir toutes les étapes de la progression normale au sein de l'établissement d'enseignement, les livres ne m'inspiraient que crainte, pour ne pas dire tout crûment: du dégoût. Ces paquets de feuilles imprimées, bien reliés et alignés sur les rayons de la bibliothèque de l'école, ne polarisaient pas mes doigts adolescents, que chatouillaient d'autres désirs propres à cet âge. Nous n'avions pas de livres à la maison, si je fais exception des *Reader's Digests* que ma mère recevait chaque mois, et la Bible, que mon grand-père lisait et relisait le soir avant de se coucher. Le seul moyen moderne qui nous reliait au monde extérieur, c'était la radio: pour réciter le chapelet, le soir, à sept heures! Ceux de ma génération s'en souviendront. Quelques années plus tard, ce fut la révélation: l'émission hebdomadaire »Séraphin», série tirée du roman de Claude-Henri Grignon, *Un homme et son péché*, occupait une place de choix. Or, dans ce contexte familio-social, il fallait quand même canaliser les jeunes ardeurs qui ne demandaient qu'à éclater. Ceux qui étaient responsables de la jeunesse organisaient des confrontations sportives, qui servaient de dérivatif. Les «irrécupérables» de l'époque se confinaient dans les gargotes, accoudés au *juke-box*, à écouter leurs chansons gueulées par quelques énergumènes à guitare électrique. On allait se trémousser sur le parquet de danse des gymnases des écoles transformés, pour les besoins de la cause, en lieux de rencontres, qui n'avaient rien d'intellectuel. Tout cela était normal — si l'on voulait éviter le pire: la délinquance juvénile. Aujourd'hui, le sport a pris une ampleur telle que l'univers de la connaissance esthétique semble ravalé au rang des «caractériels». Quand on raconte une période de sa vie, la nécessité s'impose de l'inscrire dans une perspective socio-historique. Pourtant, on peut le constater: rien n'a changé, dans le fond des êtres — seul le cadre est modifié par ceux qui, encore et toujours, tirent profit de l'inconsistance adolescente. Donc, privé de maîtres assez inspirés pour me communiquer l'enthousiasme à l'égard des belles choses, n'ayant naturellement pas de goût pour la lecture, j'ai dû laisser au «hasard divin» le soin de me réveiller.

Car l'éveil à la Beauté est une véritable renaissance! Je pense dire que je suis né quand, sur les instances d'une puissance intérieure mystérieuse à laquelle je suis redevable de ce que j'ai de plus grand, j'ai ouvert un livre — et que j'ai plongé dedans. J'étais loin de penser jusqu'où cette initiative me mènerait. J'avais quatorze ans. Lorsque je pense à tout ce temps gâché, occupé que j'étais à user mes énergies en activités superficielles, un frisson d'horreur me saisit. Cela a été ce que je n'hésite pas à qualifier de coup de foudre. Et je ne me rappelle même plus du titre de mon premier livre. Mais ce dont je me souviens, c'est de l'ouverture, de la dilatation, que sa lecture a faite en moi. Je croyais voir le monde pour la première fois. Des objets qui m'étaient familiers prenaient un relief que je ne soupçonnais pas. Des odeurs humées, et oubliées par l'habitude, me montaient aux narines et me révélaient des mobiles qui m'ébahissaient. J'allais de surprise en enchantement, d'étonnement en admiration.

Ensuite, c'est l'histoire d'une passion infinie, qui me dévore encore aujourd'hui — et la merveille: décuplée! Une ferveur sans pareille m'électrisait. Toutes mes économies étaient consacrées exclusivement à l'acquisition des livres. Je dévorais goulûment et cette voracité était incommensurable! C'était le grand amour — celui que je souhaite à tout être qui veut connaître la Beauté, la Vérité et le Bien! Un amour d'une exigence absolue, d'une jalousie extrême. À tel point que j'ai dû abandonner mes études, pour m'y vouer tout entier. À la stupéfaction de mes parents, qui n'y comprenaient rien, qui étaient dépassés par les événements. Toutefois, ma mère n'y fit point obstacle. Cette étape de ma vie, qui a duré huit ans, a été d'une fécondité extra-ordinaire. Juste pour donner une idée de mon programme quotidien: levé à neuf heures, je m'installais dans un fauteuil placé près de mon lit et, sans avoir mangé, j'ouvrais mon livre à la page où je l'avais laissé la veille, et je lisais jusqu'à midi, heure où je me permettais un léger goûter — toujours le livre sous les yeux. Midi trente me retrouvait toujours assis à ma place habituelle; quand dix-huit heures sonnaient à la pendule du salon, je m'arrachais difficilement à ma lecture pour payer tribut aux nécessités viscérales. Une demi-heure seulement, et l'esprit ailleurs. De dix-huit heures trente à trois heures, je poursuivais ma route, parmi les phrases de l'auteur que j'aimais. Après, le repos. Et le lendemain, je recommençais À un moment donné de mon évolution dans le domaine livresque, cette discipline rigoureuse a pris un caractère nettement monacal. Je lisais et je mangeais — quand j'y pensais! —à genoux. Pour me purifier! Aujourd'hui, lorsque je parcours en esprit ce singulier itinéraire, je suis porté à m'attendrir. D'ailleurs, je ne le recommanderais pas. Bien sûr, je passe outre à certains détails de ma vie, que je relaterai sous toutes les coutures dans un autre livre — peut-être... Je veux en venir à ceci, qui me paraît plus important: c'est que ce travail cyclopéen que j'ai accompli honnêtement, totalement «engagé» et désintéressé, m'a fait découvrir des techniques de lecture infiniment plus profitables que celles que le commun des mortels appliquent. C'est précisément sur celles-ci que je voudrais le renseigner.

Au début de ma farouche passion, je lisais les livres d'un bout à l'autre, sans relire une seule ligne, tellement j'étais pressé de connaître la pensée de l'auteur qui m'avait séduit. J'étais emporté par les phrases, qui me propulsaient vers les suivantes. Le livre à peine terminé, j'en commençais un autre, que je grugeais de la même manière. À ce rythme, j'en ai lu au moins mille. En l'espace de deux ans. Je pouvais évidemment apporter un sec résumé de ce que j'avais lu. Mais de là à expliquer les structures des périodes qui dérobaient leurs nuances sous mes yeux brutalisés d'impatience, il y avait une marge, que j'avais l'honnêteté intuitive de ne pas franchir. Toutefois, j'étais assez bien servi par ma mémoire. En effet, le supérieur m'avait doté de grandes capacités mnémoniques, qu'aucune méthodologie scientifique n'avait développée. Pour tout dire: j'étais en friche et jachère. Je me labourais. Oui, le terme va de soi: je me cultivais, derrière la charrue, tel un paysan de la culture: tête baissée, sans savoir où j'allais. Néanmoins, pénétré du sentiment que j'avançais, que je faisais quelque chose de grand et de sacré, et que je ramassais les résultats de mes recherches. Je peux le dire maintenant: bien que louable, le procédé était primaire. J'estime n'avoir pas perdu de temps, car j'ai acquis une certaine maîtrise ainsi qu'un goût du travail acharné. Ce qui est un gain considérable, quand on mesure la concentration exclusive sur une tâche à exécuter. Au début, les mots dont j'ignorais la signification ne m'attardaient guère. Grave erreur! À la longue, ils revenaient si souvent que je me suis décidé, un jour que j'étais désorienté par le sens général d'une phrase, à ouvrir le dictionnaire et à vérifier la définition que d'habitude j'intuitionnais. Mais, de fil en aiguille, j'ai pris l'habitude d'écrire le sens sur une feuille lignée que j'avais à portée de la main. Jour après jour, j'accumulais des définitions, mon vocabulaire s'élargissait — et je prenais ainsi conscience de mes limitations lexicales. Cette découverte a été la première étape de mon cheminement esthétique. La somptuosité des possibilités m'émerveillait. Je n'aurais jamais cru qu'il existât tant de mots qui pussent nuancer des idées. J'ai pu établir des distinctions entre des mots que j'employais à toutes les sauces. Le plaisir de la connaissance progressive se doublait de la satisfaction d'accomplir un travail constructif. À intervalles plus ou moins réguliers, j'achopais aux mêmes mots. De telle sorte que, pour gagner du temps, je décidai d'apprendre par coeur, les yeux fermés, les définitions en question. C'est alors que je me rendis compte de la mémoire dont je disposais et dont je n'avais pas épuisé les facilités. Il aurait suffi que je m'astreigne à cette tâche pour exploiter mes richesses. Et ma liste de mots nouveaux s'allongeait démesurément. J'incorporais, sans le savoir, au vocabulaire littéraire spécifique, des termes techniques provenant des sciences exactes; je piquais une pointe vers le lexique de la biologie, de la médecine, de la philosophie, etc. Rien ne me rebutait. Et comme il se produit souvent quand on cherche le sens d'un mot, je m'attardais à la page; un terme m'attirait qui me renvoyait à un autre vocable — et ainsi de suite. En parallèle au livre que je lisais, je passais autant de temps dans le dictionnaire. Un jour, charmé autant par la musique d'une phrase que par l'idée qu'elle véhiculait, je transcrivis l'objet de mes délices et, dans une espèce de ravissement extatique, me répétai la phrase jusqu'à ce qu'elle me pénètre la moelle. À la même époque, je me procurai des cahiers de notes, que je me mis en devoir de remplir consciencieusement. Et, à vrai dire, c'est de cette curieuse façon que j'appris les règles grammaticales. Par l'observation, la comparaison et la transcription. Mais je n'avais aucune notion du raffinement stylistique. Par bonheur, sans doute orienté par mes guides intérieurs dans le choix de mes lectures, je fis la connaissance d'auteurs aptes à écrire dans un français châtié. Je ne pouvais alors corriger les fautes de français des livres traduits. Ce fut plus tard que, détenteur de ces connaissances linguistiques méthodiquement approfondies, je pus me permettre de relever les fautes contre le bon goût que certains auteurs — comme Baudelaire — pouvaient commettre. Durant six mois, j'analysai le style de Chateaubriand — j'y consacrais quelques heures par jour. Je m'aperçus qu'il était un modèle de style littéraire. Pour écrire une page entière sans recourir au pronom relatif, ce satellite grammatical du verbe, il faut atteindre une virtuosité remarquable. Après des années de recherches patientes, je parvins au conclusions suivantes, du moins en ce qui a trait au style:

il y a deux styles, chacun ayant ses propriétés distinctives: le style littéraire et le style scientifique. Le style littéraire participe davantage de la musicalité et sollicite excellemment l'imagination; le style scientifique vise surtout la précision et la clarté. Ce qui ne signifie nullement que le style littéraire bannit ces deux dernières qualités: il y ajoute les siennes propres, dont se passe volontiers le style scientifique, vu son architecture dialectique. Aussi, élément important dans le processus d'apprentissage de l'écriture en français: le verbe traîne dans son sillage une kyrielle de mots fades, incolores, qui font obstacle à l'euphonie, tels les participes présents, les adverbes, les conjonctions redondantes qui relient deux propositions, par conséquent deux verbes. Alors que le substantif regroupe autour de lui un autre substantif mis en apposition, suggère des propositions participiales dans la construction d'une phrase, emploie l'adjectif qui joue le même rôle que l'adverbe auprès du verbe, fait intervenir l'article, supprime la préposition en début de phrase pour la remplacer par un nom dont le verbe qui suit accomplit l'action. La stylistique est un immense réservoir pour quiconque désire écrire en beau français — prose poétique, poésie s'offrent à l'envi pour qu'on exploite les ressources variées de la palette du vocabulaire et de la syntaxe. Je viens de parler de la suppression, en tête de phrase, de la préposition qui, en soi, n'a rien de lourd. L'exemple que je me propose de donner conférera un cachet d'élégance à la phrase «Dans ce visage, on voit de la mortification»[1]. Plusieurs écrivains ne retoucheraient pas cet énoncé. Il exprime ce qu'on veut dire. J'en connais qui ne seraient pas allés jusqu'à l'employer, de peur que leur lecteur n'en ignore la signification exacte; ils auraient plutôt demandé du renfort au terme «pénitence» ou à quelque équivalent sémantique. La question qui se pose: comment réussir à modifier l'aspect de cette phrase, pourtant écrite dans un français correct? Un des principes fondamentaux de la stylistique consiste à essayer d'éliminer, le plus souvent possible, sans toutefois verser dans l'abus, la préposition au seuil de l'énoncé. Une fois la préposition éliminée, il reste «ce visage», groupe nominal suivi d'une virgule. En passant, on peut constater que la phrase est sujette à inversion: elle s'amorce par le pronom «on» — et l'on remplace la préposition «dans» par «sur». Cependant, il n'y a aucune amélioration stylistique manifeste. Pour qu'il y ait une élévation esthétique dans l'énoncé, il faut que le nom devienne sujet dans la phrase, où le verbe exprime l'action. Voici un exemple de transformation morphologico-structurale positive: «Ce

---

1. Ces exemples s'inspirent du remarquable ouvrage de M.E. LEGRAND - *Stylistique Française*

visage porte l'empreinte de la mortification». Incontestable changement, auquel il n'y a rien à redire — rien à ajouter, rien à supprimer. Elle est gravée dans le marbre. C'est cela que j'entends par écriture authentiquement cohérente et unifiante. Autres exemples tirés de la stylistique: le participe présent accompagné de la préposition «en» — placé en tête de phrase — connu sous le nom de «gérondif». «En lisant de bons livres, on se forme l'esprit». Et «En diffusant la bonne presse, on dissipera les erreurs». Ces deux phrases commencent par le gérondif. Qu'est-ce qu'il faut faire pour les améliorer? Une seule possibilité: que le nom de chose se transforme en sujet du verbe. C'est très simple: «La lecture de bons livres forme l'esprit»; «La diffusion de la bonne presse dissipe les erreurs». Résultat: une phrase pure et nette! L'étude de la stylistique nous apprend également à éviter les écueils de la facilité; les verbes avoir, être, faire, dire; la locution «il y a», etc. Je choisis cette dernière. «Dans ce champ, il y a des bouquets d'arbres; dans le ciel, il y a un avion; sur la pelouse, il y a un boyau d'arrosage; sous l'eau, il y a des poissons; dans le cendrier il y a une cigarette». Cette formule n'a qu'à céder la place à un verbe transitif qui peut, parfois, entraîner des changements dans la structure. «Des bouquets d'arbres coupent ce champ»; «Dans le ciel plane un avion»; «Sur la pelouse traîne (ou serpente ou ondule ou court) un boyau d'arrosage; «Sous l'eau folâtrent (ou en terme plus banal: nagent) des poissons»; «Dans un cendrier fume une cigarette». L'esprit inculte a peine à s'imaginer que les choses peuvent accomplir des actions par elles-mêmes. Le créateur d'oeuvres esthétiques peut s'attribuer ce pouvoir... Un mot sur l'adverbe de manière, et particulièrement sur les épais adverbes en *-ment*. L'adverbe de manière n'inspire pas le sentiment musical. Je vais donner deux exemples: «Il écrit lentement des livres». Comment le supprimer? Par l'utilisation de la préposition suivie d'un verbe, mis à l'infinitif: «Il est lent à écrire des livres» — ou, peut-être mieux encore; «Il met du temps à écrire ses livres». L'adjectif attribut met en relief la particularité de l'auteur en question. La même phrase prolongée par une principale, ce qui implique l'emploi de la conjonction subordonnante: «Parce qu'il est lent à écrire, il est découragé». Ce n'est pas fameux! Je propose donc ce changement radical: «Sa lenteur à écrire a engendré le découragement» ou encore «Sa lenteur à écrire l'a découragé». Je laisse au lecteur le soin d'apprécier la différence. Dernier exemple: «En dépensant follement, il s'est ruiné». Un participe présent suivi d'un adverbe en «ment». J'aurais presque envie de laisser un espace blanc: ceci permettrait au lecteur de s'exercer...«Ses folles dépenses l'ont ruiné». Est-ce mieux? En conclusion, le lecteur doit ouvrir un livre un stylo à la main. Afin de noter ses réflexions, ou pour apporter les corrections qui s'imposent.

Mon cheminement fut hérissé d'obstacles que la patience et, à un moment donné, la méthode a nivelés. À l'âge de vingt-trois ans, à l'issue de cette longue période d'incubation intellective, semée à l'occasion de tentatives d'écriture personnelle, qui n'arrivait pas à la cheville de mes modèles, je m'estimai prêt à prendre mon envol poétique. Je ne manquais pas d'idéal: j'en débordais. Et, avec la même patience qui m'avait si bien servi dans ma formation d'autodidacte, j'entrepris l'édification de mon oeuvre poétique. En dépit du fait que j'aie tâté de tous les genres, je crois que c'est en poésie que je vibre le plus intensément. Parce que la poésie représente, à mes yeux, la quintessence de l'expérience scripturaire: elle suggère des structures esthétiques. Toutefois, je sais des romans dont la facture s'approche de la poésie. Car je le dis: des auteurs écrivent en vers sans soupçonner qu'ils versent dans la prose, et des prosateurs offrent des livres à la structure rythmée caractéristique de la poésie. Ceux-ci puisent dans l'arsenal prosodique et utilisent d'une façon maximale les attributs qui relèvent de la musique. Soumis à un horaire aussi rigoureux qu'à mes débuts de lecteur-chercheur, je me contraignais à écrire une heure par jour, jusqu'à ce que la lumière éclate — j'étais assoiffé de traits, j'avais faim de foudre, je souhaitais le fantastique. Maintenant, je peux affirmer que des récompenses sont réservées à ceux qui travaillent. Alors, quand j'entends de jeunes poètes, qui n'ont pas lu cent livres dans leur vie, se répandre en propos désabusés sur le patrimoine littéraire, impatients de crier que tout ce qui a été écrit est dépassé, une grande marée de révolte me soulève: je crois sincèrement qu'il faut apprendre à aimer les oeuvres de nos prédécesseurs qui sont dignes d'estime. C'est sur leurs traces que nous cheminons. C'est à partir de ce qui a été fait que l'on construit son oeuvre.

J'apporte aujourd'hui ce témoignage dans un unique dessein: dire à ceux qui veulent savoir ce qu'est la poésie: elle est une maîtresse absolue — on ne lui adresse la parole qu'après s'être silencieusement et humblement agenouillé!

Quatorzième chapitre

Poète québécois des sphères

Mes familiers, accoutumés à mes philippiques à l'endroit de la littérature québécoise, savent cependant que j'accorde une préférence manifeste aux auteurs qui s'abreuvent d'authenticité. Ceux qui connaissent les sources inspirées auxquelles je me réfère, selon mon habitude — les archétypes littéraires d'expression française —, n'ignorent point le respect et l'estime que m'inspirent quelques autochtones qui enrichissent, par leurs oeuvres, et même qui en constituent le ligament, le corpus littéraire québécois. J'ai dit que je fournirais, à la fin du présent ouvrage, une liste de compagnons de l'esprit. À part Kristeva, dont je ne partage pas toutes les vues, pour des considérations que j'ai expliquées dans *Poètes ou imposteurs?*, la plupart des auteurs cités offrent des pistes de réflexion propices. Parmi ceux-ci, il en est un sur lequel je désire vivement attirer l'attention du lecteur. Il s'agit de Gilles des Marchais. J'ai d'ailleurs rapporté l'une de ses phrases lapidaires, sorte d'aphorisme qui fait flèche, dans un chapitre de ce livre. Phrase cueillie au passage, lors d'une conversation, qu'il a toujours étincelante. Poète-linguiste-essayiste-romancier-dramaturge et peintre, cet auteur méconnu des lettres québécoises — et qui a pourtant publié dans de grandes maisons d'édition — apporte en même temps qu'une reconnaissance objective à l'égard du patrimoine littéraire occidental un renouveau de l'écriture poétique, grâce à une ordonnance originale à la fois de la morphologie et de l'imagerie traditionnelle. Il insuffle à la poésie décrépite des années soixante-dix un souffle d'arbres; il lui injecte vraiment du sang neuf. Sa formation du plus pur classicisme, ses investigations linguistiques et sa pratique assidue de l'écriture poétique le destinaient à atteindre ce haut niveau du dire. Ces qualités le désignaient pour nous représenter à l'échelle mondiale, à travers toute la diaspora de la francophonie. Mais pour des raisons que j'ai analysées, dans une perspective socio-culturelle, il a été occulté par des imposteurs. Ce n'est pas le moment d'en parler: j'y reviendrai plus tard. J'aimerais donner au lecteur une idée du contenu volcanique de l'un de ses livres, véritable fleuron de la littérature québécoise.

L'ineffable récompense réservée aux chercheurs têtus, avides de découvrir des sources qui parlent d'émois discrets et d'orages contenus et d'artères déchaînées, réside dans la certitude de faire des rencontres livresques d'importance culturelle historique: le «hasard divin» a voulu que je me délecte à l'envi d'un livre de poèmes d'une richesse inouïe, d'une somptuosité linguistique —*Demain d'hier l'antan*, de Gilles des Marchais, publié aux Éditions Leméac (Montréal, 1980, 152 p.) L'honnêteté la plus élémentaire m'oblige à adresser des félicitations enthousiastes à cette maison d'édition qui peut s'enorgueillir de publier un poète doué d'un si beau talent.

Trouvailles rythmiques, audacieuses métathèses, dérivées des habitudes vernaculaires propres à une collectivité, allitérations révélatrices d'une virtuosité verbale, néologismes pleins de fantaisie — témoins d'une imagination qui effervesce inlassablement —, des strophes dont la délicatesse d'expression emprunte au velours profond des violoncelles du romantisme, ressuscité dans des perspectives contemporaines selon une adaptation bien personnelle —; cataractes écumeuses de mots lourds de miel et de flamme rassemblés savamment avec l'art consommé d'un poète rompu aux procédés de style et réceptacle d'une inspiration intarissable...

Lorsque je songe à l'importance démesurée que les imposteurs appuyés contre le levier du «pouvoir» accordent aux blêmes productions d'écrivassiers affligés de débilité, une grande indignation me soulève: se peut-ce qu'un poète de talent passe inaperçu, n'occupe pas la place de choix qu'il mérite, soit occulté dans la mosaïque de la poétique québécoise? Il suffirait pourtant de mesurer la profondeur de la poésie de des Marchais: elle est universelle, qualité distinctive du poète de génie. Le mot est lâché! Aujourd'hui, si galvaudé par les anémiés du bulbe, si prostitué par les *fans* politisés, dramatiquement stérilisés par un crétinisme congénital, ce Mot qui relève d'une multidisciplinarité poétique intuitive et réflexive désigne l'Homme capable d'interpeller ses semblables — de n'importe quelle époque — grâce à l'exploitation des grands thèmes qui éclairent: l'amour, la nostalgie, la mort, l'espoir, et leurs nombreux dérivés. Je ne crains pas d'être taxé de thuriféraire devant une oeuvre qui sollicite l'admiration intégrale! Quand je pense à l'unanimité de reconnaissance dont privilégient certains «poètes» qui n'arrivent même pas à se hausser à la cheville de des Marchais et qui se grisent des stupéfiances extasiées de leurs alentours totalement privés de bon goût, je comprends que l'auteur de *Demain d'hier l'antan* ait choisi la solitude pour approfondir son expérience poético-linguistique: il n'a que faire de limaces visqueuses agglutinées à ses basques...

Des Marchais appartient à la génération de ceux qui apprécient le travail conscient bien accompli; le souci de la musicalité évocatrice de rythmes subtils, le goût de l'incantation transcendante, la répétition régulière de vers dans la substance de la strophe, confèrent au visage de ses poèmes des expressions et des traits d'harmonie qui charment, qui séduisent, qui envoûtent.

QT.b.33 (Quasi-triolet type «B»)[1]

Je frissonge au seuil de mes neiges
Malgré l'octobre en or majeur
Qui flambe feux et florilèges
Je frissonge au seuil de mes neiges
Enfeuillé de fauves rumeurs
Jonché de jeux et sortilèges
Berné de flambeaux de bonheur
Je frissonge au seuil de mes neiges

Pierre précieuse, joyau étincelant parmi une «accumulance» de gemmes, cette strophe offre ses beautés au lecteur patient: sa symbolique empreinte de mélancolie le transfigure par sa joliesse d'expression. Enfin, un poète qui écrit en français! — une langue, qu'il enrichit d'une métathèse de bon aloi, véritable découverte langagière qui honore son auteur et ennoblit et renforce sa pensée: «frissonge». Constituée de deux mots — frisson et songe —, elle injecte un sang qui exalte l'Idée à chuchoter: la songerie pleinement vécue, cause de frissons exquis. Le poète, en vue de l'âge qui mûrit, à l'approche des «neiges» qui glacent la moelle du désir, pénétré encore des «feux et sortilèges», échaudé d'expériences malheureuses, ébouillanté de bonheur épars, sent le frimas de la désillusion lui saupoudrer l'âme. Simple sentiment commun à tous les hommes, mais combien magnifié, sublimé par un Verbe magicien!

1. des Marchais, Gilles, *Demain d'hier l'antan*. Poèmes en formes vénérables plus, en annexe, devant, un choix de quelques pièces, récentes ou presque, en formes moins anciennes. *1ère tranche d'Outre-Rimoir*. Montréal, Poésie Leméac, Les Éditions Leméac, 1980: p. 93.

QT.a.6 (Quasi-triolet type «A»)[2]

Je t'aime ainsi que j'en viens fol
De rêver galbes et cambrures
Hanté de mollet cuisse et col
De seins qui parent la parure
Je t'aime ainsi que j'en viens fol
Par dire mens-je et me parjure
À long de strophe à cours d'envol
Je t'aime ainsi que j'en viens fol

La merveille dans l'aventure poétique de des Marchais est que le poète tient la main de l'Homme qui écrit. Nonobstant quelques divertissements linguistiques qui reposent et relancent vers des voies plus stylisées, aucune abstraction gratuite ne vient altérer le chant de celui qui vit et revit par la plume. Toute son expérience d'homme tourmenté, déchiré, révolté et tendu vers sa propre vérité, trouve des accents de sincérité qui ne trompent pas!

Que l'on écoute encore, l'esprit réjoui et le coeur ravi, ce chant venu de très loin, dans la noble tradition du bien dire:

RONDEL N° 3[3]

Je vous dirai quelque secret
De mondes vieux et de merveilles
Vous conterai mes lentes veilles
Les tons subtils des matins frais

Vous chanterai bas les attraits
Les feux de joailles vermeilles
Je vous dirai quelque secret
De mondes vieux et de merveilles

Un jour sous de sages cyprès
Au midi plutôt sous la treille
Vous charmerai d'or en oreille
Pour vous parler d'encore plus près
Je vous dirai quelque secret

Il semblerait stupéfiant qu'un poète québécois vivant à la fin des années soixante-dix — période pauvre en productions symboli-

2. *Op. cit.*, p. 73.
3. *Op. cit.*, p. 119.

ques poétiques —écrive de la sorte; qu'il n'ait pas «politisé» son inspiration; qu'il soit réduit à chanter les charmes des mêmes secrets. Et pourtant, il ose s'élancer vers l'azur d'un énoncé poétique cohérent, et dans une forme ailée du rondel, aujourd'hui tombée en désuétude. Liées aux rigoureuses structures grammaticales, ses musiques phrasées s'inscrivent même dans le corpus linguistique en usage. Aucun terme pompeux qui pue la pose d'une lieue ne vient souiller son poème. Pour des Marchais, la théorie fondamentale en esthétique dérive du langage, dont le référentiel est donné par la poésie. Poésie: l'Art du langage. Toutefois, sa poésie, qui peut certes faire l'objet de la réflexion théorique esthétique, qui relève de la prosodie, prend racine dans une capacité perceptible absolument exceptionnelle de la Réalité sous toutes ses formes. À sa façon, que d'aucuns considéreront anachronique, des Marchais tente d'approcher la divine structure absolue, à laquelle s'identifierait son énoncé poétique, tant par son aspect que par son fond. «Vous conterai mes lentes veilles» «Les tons subtils des matins frais». C'est l'itinéraire du poète voué au travail latent, aux parturitions adorées; c'est la patience de celui qui lance des sondes en lui et qui, à travers des mots d'une simplicité transparente, ramène au monde ses découvertes intérieures. «Je vous dirai quelque secret». Point de criailleries de primaires en mal de popularité; il ne s'agit pas ici de vomir des flots d'imprécations. C'est l'âme qui, riche de fleurs et de fruits, s'adresse à une autre âme. C'est l'intelligence qui, détentrice de la technologie particulière à l'écriture poétique, communique à une autre intelligence la «vivacité» frémissante que procure le sentiment esthétique restauré dans sa propre dimension. C'est le coeur qui, ému par les sentiments les plus beaux, prend la main de l'Amante et lui montre le chemin de l'Amour... Quand je lis des Marchais, j'ai la certitude de côtoyer un univers irrigué par des fleuves diaprés! C'est une magie à laquelle il faut s'ouvrir. Sa poésie renferme des trésors. Si elle est si pétillante d'éclats, c'est parce que celui qui l'enfante a souffert: il a parcouru toute la gamme des émotions. Qu'on se rappelle la phrase de Henry Miller! Oui: la Beauté est liée à la souffrance. Un homme qui s'est fermé à lui-même et aux autres ne peut rien produire qui vaille. Un poète qui a éprouvé dans sa chair et dans son âme le couteau de l'Amour et qui, sur le plan de l'écriture poétique, a réussi la démarche de la transmutation esthétique, engendre des oeuvres qui élèvent — celui qui écrit et celui qui lit. Le poète qui se limite à rassembler des mots pour le simple plaisir de se divertir de noircir du papier, appauvrit. L'insignifiance de la forme va de pair avec la nullité du fond. Des Marchais investit ses mots d'une puissance incantatoire, qui détermine des effets percutants, qui bouleversent, qui métamorphosent la vision. Écoutons cette voix qui s'immole:

RONDEL N° 1[4]

Je vous cédai mon coeur à l'aune
N'en chuchez mot n'en soufflez rien
Il ne m'en vint aucun soutien
Était-ce obole ou fut-ce aumône?

Voici le temps des amours jaunes
C'est peut-être l'or que tu tiens
Je vous cédai mon coeur à l'aune
N'en chuchez mot n'en soufflez rien

Si d'abondance votre cône
Se comble pareil de ces liens
D'élans que votre âme soutient
N'ayez regret de si doux prône
Je vous cédai mon coeur à l'aune

Il n'est pas jusqu'à la récurrence thématique qui, par prolongement répétitif symbolique, ne vienne imprimer son rythme voulu, pour renforcer l'idée à transmettre. Ce chuchotement enamouré prend le relief du sentiment majeur qui l'a inspiré. Et quelle musicalité dans le sillon de l'énoncé! Tout coule de source — et tant de discrétion à notre époque de fiers-à-bras du poétique! Tant d'effacement dans la reconstruction synthétique d'une expérience affective ne laisse de surprendre en nos temps de revendications fébriles et de comportements vindicatifs. Aucune amertume dans ce rondel. Plutôt une constatation. S'il questionne dans la première strophe, c'est pour appuyer son dire. «Je vous cédai mon coeur à l'aune».

Des Marchais ne copie ni ne contrefait: il est parvenu à l'authentique énonciation idiolectale. Il ne cherche pas à inventer de nouvelles organisations typographiques, qu'arborent avec ostentation les apologistes de l'incohérence. Il se contente d'utiliser et de rendre vivantes des structures qu'il remplit de significations. Son incontestable originalité ne tient pas de la disposition matérielle des strophes — mais de ce qu'elles recèlent de Beauté et de Bien. Car des Marchais ne triche pas. Il est entièrement engagé dans ce qu'il

---

4. *Op. cit.*, p. 117.

dit. Ses poèmes en témoignent: depuis longtemps, il a dépassé l'étape des simagrées.

Le lecteur peut s'en rendre compte: une certaine poésie québécoise ne me trouve pas imperméable: parce qu'elle force l'ouverture par ses mérites. Je termine ce chapitre consacré à un grand poète par ce poème. Avant de m'éclipser, je voudrais que le lecteur s'attache aux deux premiers vers de la deuxième strophe, qui évoquent pour moi l'espoir rimbaldien!

RONDEL N° 4[5]

Bénis ces châteaux de Bohême
Je t'y mènerai certain jour
Par bois et par lacs d'alentour
Par ces promenades que j'aime

Tu retrouveras cela même
Que tu vis du haut de la tour
Bénis ces châteaux de Bohême
Je t'y mènerai certain jour

Tu verras ces brouillards si blêmes
Qu' on dirait tristes pour toujours
Nimbés de nocturnes d'amour
Ou d'airs que seul Chopin parsème
Bénis ces châteaux de Bohême[6]

---

5. *Op. cit.*, p. 120.
6. Gilles des Marchais est décédé le 6 juin 1985 âgé de 49 ans, dans l'indifférence de ses contemporains.

Quinzième chapitre

Pécher contre la lumière

Ceux qui disent que les mots ne sont que des mots pèchent contre la lumière: ils ont tourné le dos à l'essence des mots. Une utilisation maximale du réservoir prosodique peut, à elle seule, faire éclater le mot au-delà du périmètre poétique. Une conceptualisation préalable est absolument nécessaire. Si l'on ne tient pas compte que les paroles humaines ont des répercussions infinies, l'on se mutile de la possibilité de communication avec la totalité de l'univers visible et invisible. Quand j'affirme que, sans un enracinement particulier d'ordre éthico-esthétique, le poète se confine à un rayon limité d'action, c'est que je ramène sa pratique individuelle d'écriture au champ circonscrit tantôt au règne inférieur, tantôt au domaine visible immédiatement discernable. Il importe — il est de toute première urgence! — que les poètes sachent que les mots qu'ils emploient vont au-delà d'eux-mêmes; que les paroles qu'ils prononcent dans leur mouvement phrasé peuvent émouvoir des anges! Le Verbe est à l'origine de toutes manifestations temporelles. Les prêtres des religions anciennes connaissaient son pouvoir; les sons principalement existent dans l'Éternité de l'Esprit, prennent chair dans la bouche de l'homme, ou sous sa plume, afin de transformer les êtres et les choses. Une explication du mécanisme ontologique s'impose. Chaque mot que j'écris est nanti d'ailes — à condition que je m'adapte aux grands rythmes cosmiques, quand je m'emploie à rejoindre la transcendance de chaque homme, c'est-à-dire le meilleur de lui-même: son âme, ou corps spirituel; aussitôt dit ou écrit, il s'élève vers son éther où il prend sa substance sacrée, à travers l'organisme collectif de l'humanité spirituelle. Grâce aux relais prévus, où des entités divines lui donnent accès, il parvient au coeur de l'Esprit. Là, il s'emplit de puissances, pour revenir vers celui qui l'a engendré — et à tout objet de sa ferveur: une femme, un enfant, un arbre, etc. Revenu des hautes régions occultes de l'Esprit, il enveloppe d'irradiations mystérieuses celui qui lui a donné souffle et le fait bénéficier de faveurs inouïes.

Prétendre et propager cette illusion, à savoir que les mots ne sont que des mots, c'est s'étourdir d'insensés propos. Cette attitude totalement désincarnée est répandue dans le cercle qui va s'élargissant des poéticailleurs. D'où un épuisement pathétique de leur verbe, d'où un accablement systématique. Un relèvement de la situation interpellerait l'ouverture, un goût de la Vérité. Cependant, à cause de leur postulation fallacieuse, pour ces gens qui écrivent leur propre anéantissement, il est extrêmement difficile de répondre à l'appel de la Vérité. En outre, ils craignent de déchoir aux yeux de leurs petits camarades plumitifs. Ce qu'ils appellent orgueilleusement écriture avant-gardiste n'est que la projection scripturaire de leur ultime désordre intellectuel. L'incohérence est leurs eaux troubles. C'est alors que la poésie authentique pourrait leur servir de pont. Le titre de l'ouvrage le dit: un pont vers la transcendance. Mais ce pont doit être constitué de matériaux qui, de toute éternité, sont en mesure d'enjamber le cloaque. Que l'on me comprenne bien: je ne dis pas que le monde est un cloaque; c'est la façon d'aborder le monde qui crée le fouillis; le monde en soi est beau — le poète peut le chanter. Il faut que lui-même devienne chant. Autrement dit: qu'il emploie les bonnes paroles qui sachent le transfigurer et, par extension culturelle, allumer des flammes dans l'âme de son lecteur. J'ai dit que la masse avait besoin de guides; le poète est de ceux-là. La poésie n'est pas une piste pour acrobaties spectaculaires: c'est un sanctuaire où se célèbre un culte! Les mots sont beaucoup plus que des mots: ce sont des flèches bellement empennées qui, reliées par des fils invisibles chargés de courants magnétiques à leur destinateur, touchent le destinataire dans sa fibre la plus secrète, le blessant à jamais — une plaie dont on ne guérit pas! Celui-ci, à son tour, profondément rejoint dans tout ce qui le différencie de tous les autres hommes, sera contraint de progresser sur la voie royale, celle qui conduit à la Vérité. On peut me rabattre les oreilles avec les sophismes modernes: l'homme a sa vérité, selon sa conscience, etc. — moi, je soutiens qu'il n'y a qu'une Vérité. Ou, alors, que des visions partielles tributaires de l'expérimentation immédiate. Je pourrais formuler le même jugement en ce qui concerne la morale... Je reviens à l'écrit. Pour que le verbe soit éclatant de lumière, une condition préalable: découvrir la source rayonnante! Est-elle dans le monde extérieur? Cet univers matériel ne reflète la lumière inspirée que dans la mesure où l'homme la lui communique par sa transmutation intérieure de la réalité. Elle est dans le monde par l'homme, qui l'a en lui, et sur lequel il la répand. Sinon, elle est ailleurs. Elle n'est pas dans les mots: elle est dans celui qui se sert des mots. Les mêmes mots n'ont pas le même sens, selon qu'ils sont employés par tel ou tel. C'est la différence fondamentale entre le mot qui reproduit et le mot qui nomme pour s'approprier. D'ailleurs, intuitivement, l'âme bien née sent ce phénomène. La reproduction, aussi fidèle qu'elle soit, n'a jamais conduit à l'émerveillement. Comme elle est un reflet banal de la réalité, elle émousse la sensibilité. La preuve: toute l'information journalistique exaspère des convoitises, aigrit des douleurs, suscite des controverses — l'information ne peut produire le culte du Beau, parce qu'elle est en deçà: son royaume est l'actualité. Je sais des poètes qui, égarés par leur souci démagogique et leur appétit de popularité, racontent des faits divers, sous prétexte qu'il n'est pas de domaines qui leur soient interdits. Un chien écrasé quelque part? Un vieil homme kidnappé et assassiné? Un débrayage prolétarien? Et leurs machines à sornettes fonctionnent à plein régime. Ils prétendent s'intéresser exclusivement à la réalité. Ils n'ont plus le désir de se morfondre dans le laboratoire de la métaphore souveraine, quand il y a tant de choses à dire qui soulèvent la passion. Je désigne cette tendance singulière d'adaptation instantanée de l'observable sous les termes de poésie de l'émotion. L'émotion est utile, voire indispensable. Pourvu qu'elle soit décantée de ce qui l'a motivée. J'affectionne personnellement le sentiment et une haute idée qui le sous-tend. Ce qui ne m'empêchera pas d'examiner les propriétés particulières de la poésie de l'émotion. Celle-ci s'adresse essentiellement aux sens, et n'a rien à voir avec le sentiment esthétique. Toute la poésie de l'émotion, entérinée culturellement par le feuillet imprimé, se réclame de l'actualité sociale, économique, politique et intimiste. Ses structures — pour employer un mot qui concerne sa représentation matérielle — sont la réplique de son objet. Étant donné qu'elle stipule reproduire la réalité telle que le destinataire la perçoit, dans la limite de son expectative extérieure, elle demeure seulement dans le voisinage du principe qui détermine la manifestation — quand ce n'est pas à ses confins, à sa périphérie. Parce qu'il faut se rappeler que la qualité de l'observation dépend de la qualité de l'observateur. Or, comme nous vivons à une époque où quiconque éprouve le besoin de lâcher son cri, nous pouvons avoir un kaléidoscope de la réalité: différents observateurs apportent leur recette. De plus, n'importe quel événement peut servir de piste d'envolée à tous ceux qui se gargarisent de la capacité d'observation. La poésie de l'émotion est sujette à caution: d'abord, parce qu'elle ne cerne jamais un fait avec toutes ses composantes existentielles; ensuite, parce qu'elle n'arrive pas à dégager un élément de l'ensemble, pour lui conférer une structure qui soit apte à éclaircir la totalité du mesurable perceptible. Le poète de l'éternel sait, lui, qu'il ne peut s'attaquer — si je puis dire — à l'ensemble: l'expérience atavique lui enseigne qu'il doit plutôt se concentrer sur un aspect, l'explorer en profondeur sous tous ses angles, et tout au fond, au bout de ses découvertes, porteur de l'essentiel, remonter à la surface du monde pour révéler en nommant! Le miracle peut se produire. Quand bien même il n'aurait étudié qu'un seul aspect d'un fait humain, il sait, pour avoir touché le fond de l'âme humaine, où communique l'universel, qu'il a une vision globale. Il ne s'agit pas ici d'actualité: elle n'a plus de raison d'être! Le poète va plus loin...

J'aimerais terminer cette partie-ci du présent chapitre par l'évocation d'une anecdote. À mes yeux, quand la théorie ne s'illustre pas d'exemples pratiques, elle est vouée aux abstractions. J'ai déjà écrit que je suis foncièrement expérimentaliste: je n'avance rien que je n'aie personnellement examiné — et avec prudence. C'est signifier qu'après de nombreuses recherches et expériences, je me permets de tirer les conclusions — et de me conformer aux réalités découvertes. Le fait que je m'apprête à évoquer résulte d'une centaine d'observations — à quelques variantes près. Il est évident que ce n'est pas une analyse du comportement socio-culturel; ce n'est qu'un exemple destiné à éclairer le lecteur. Pour peu qu'il regarde autour de lui, ce dernier s'apercevra des similitudes avec mes observations.

Un poéticailleur de ma connaissance «fait» dans la poésie de l'émotion. Engagé dans le mouvement travailliste progressiste, il suit de près les développements des négociations en vue d'une amélioration des conditions générales de travail. Aussi, il dit qu'il fait une poésie accessible à la majorité. (Constatons, en passant, qu'il ne cherche nullement à l'élever au-dessus de sa condition, en lui ouvrant l'accès des productions poétiques esthétiques! Tout le monde l'aime; il prétend comprendre ceux avec qui il travaille. Après le prêtre-ouvrier, le poète-ouvrier. Mais ce que ses commensaux quotidiens ignorent — et qui est d'importance psychologique révélatrice de l'intentionnalité de l'individu —, c'est la raison pour laquelle il écrit dans cette voie. Pour je ne sais quelle raison, et qui me surprend chaque fois, j'attire les confidences. Cela doit certainement faire partie de ma destinée. À la faveur d'une demi-bouteille de vin, et d'une atmosphère fraternelle, ce poéticailleur — qui sait pourtant ce que je pense de ses écrits! — m'avoue tout uniment les mobiles de sa conduite. «Si je fais tout ça pour mes compagnons de travail, reconnut-il ce soir-là, c'est parce que j'espère les diriger un jour. Je crois que je sais mieux qu'eux ce qui leur convient» Je laisse le lecteur réfléchir là-dessus...

* * *

Je suis entièrement d'accord: le langage est un bien collectif — en ce sens qu'il obéit aux impératifs de la communication fonctionnelle. Son caractère spécifique d'«immédiaticité» le désigne tout entier pour faciliter les échanges quotidiens, dont le réseau explicite de complicités linguistiques assure la continuité. Cependant, il faut faire très attention. Je mets en garde ici, et à la lumière de ce que j'ai défini dans les chapitres précédents, ceux qui auraient tendance à confondre la poésie envisagée, dans ses résultats rendus publics, comme un bien de consommation que l'on achète, que l'on dévore et que l'on jette, avec le verbe soumis aux arcanes du long labeur, qui est la conséquence esthétique d'un agir plus noble. Que l'on considère que cela est une attitude exemplaire que certains poéticailleurs aient voulu rendre accessibles leurs balbutiements, ne regarde que ceux qui profitent de la situation: de cette adhésion, ils nivellent les possibilités d'émergence d'une écriture poétique positivement originale. Que les sectateurs borgnes de la poésie du bifteck saignant aillent relire et, surtout, méditer, leurs classiques! Au lieu d'encourager la jeunesse à grand renfort de formules toutes faites qui empruntent davantage à la politique qu'au poétique, ils devraient, s'ils tiennent vraiment à s'«engager» dans le tissu social dans le but d'une amélioration effective fondée sur une qualité de l'esprit et de la sensibilité, lancer des défis à ces poètes en herbe: leur signifier qu'une longue gymnastique intérieure doit précéder l'acte d'écrire. Au lieu d'apprendre aux jeunes qu'ils naissent handicapés, qu'ils subissent l'oppression d'une civilisation menaçante et aliénante, que le talent réside dans le vouloir exclusif de transmettre ce qu'ils perçoivent à la surface des choses, — ils devraient leur révéler leur filiation divine et leur rappeler sans cesse que la noblesse de l'homme, quelle que soit sa situation, réside dans son désir de remonter la pente ardue de la vie! Pour avancer dans le monde de demain, il faut partager les richesses du passé.

Il existe une confusion volontairement entretenue: confondre poésie et chanson. Pis encore: d'imaginer que la révolte est le tremplin fondamental de la poésie.

D'abord, la rengaine. La glorification unanime des rouleurs de glotte a contribué à éloigner la jeunesse de l'effort conscient, de l'assouplissement intellectuel nécessaire à la création. Le pseudo-porte-parole d'un groupement d'individus n'est, en réalité, qu'une marionnette habilement manipulée par les détenteurs du pouvoir économique. Ces derniers, mystérieusement instruits de cette nécessité impérieuse qui porte les jeunes à s'identifier à quelque chose qui les représente dans leur actualisation maximale, fabriquent des personnages destinés à canaliser cette énergie qui, si elle était orientée dans des voies constructives d'épanouissement individuel quasi illimité, pourrait rendre pleinement fécond tout être qui serait mieux guidé. Mais cette constatation du désir profond des jeunes de grandir vers le meilleur d'eux-mêmes, est le dernier des soucis des imposteurs. Quand ils se sont rendus compte que la chanson répondait «à un besoin», ils se sont empressés de persuader la jeunesse que ce moyen d'expression élémentaire correspondait on ne peut mieux à leurs aspirations. L'Art, c'est la chanson. Rien ne vaut la chanson. Qui prospère et qui exprime les besoins du peuple! À une époque où l'imprimé n'existait pas, je veux croire que la chanson s'inscrivait dans la tradition orale... Mais depuis l'invention de l'imprimerie, et particulièrement au vingtième siècle depuis que l'on rend faciles d'accès les établissements d'enseignement populaire, on aurait été en droit de s'attendre à ce que l'écrit prenne le pas sur le chansonné! Et qu'est-ce qui se passe? Onomatopées, rugissements d'internés, accompagnés de rythmes primaires qui non seulement dégradent ce qui aurait pu être dit, mais avilissent la vraie musique — voilà la chanson telle qu'elle est pratiquée, telle qu'elle est aimée. Evidemment, je parle d'un certain genre de chansons. En ce qui a trait à la ballade sentimentale, quand elle ne s'étiole pas dans l'insignifiance sirupeuse, elle poursuit béatement son chemin à travers la sensiblerie. J'ai déjà exposé mon opinion sur la sensiblerie et la sensibilité, obstacle au développement optimal de l'être. Elles engluent l'humain dans de la mélasse. Or, cette substance, certes délicieuse au goûter, n'a jamais enfanté d'oeuvres poétiques de génie! Au contraire: il semblerait qu'elle étouffe même le talent. Pour que la personnalité d'un adolescent puisse parvenir à une synthèse des trois composantes constitutives de son entité, intelligence, sensibilité et mémoire — il est d'importance psychologique fondamentale qu'il vive dans une ambiance culturelle favorable. Et seule la poésie, en éducation, pourrait garantir la croissance intérieure. Et la lecture des grands romanciers, qui sont avant tout poètes: leur prose présente incontestablement les structures rythmiques caractéristiques de la poésie. Ils sont poètes par leurs vues sur le monde extérieur: elles prennent racine dans le monde intérieur. C'est pourquoi je dis que tant qu'on n'offrira que des paradis artificiels, et tant que l'on gavera la jeunesse de chansons, comme des oies, tant que l'on s'échinera — cela en vaut la peine: les bénéfices sont considérables! — à construire des mythes sans substance, l'on précipitera la décadence — et les premières victimes, même si en ce moment elles se divertissent — s'éloignent d'elles mêmes —seront les jeunes! Après, quelques moralistes impénitents, enflammés par leur juste colère, flétriront les jeunes. Ce ne sont pas seulement eux, les coupables — ou ils le sont dans la mesure où ils n'opposent aucune résistance aux influences débilitantes du monde extérieur. Ce sont des adultes machiavéliques, les vrais responsables de la déchéance! Ce sont eux qui ont tout manigancé pour remplir leurs goussets! Ce sont eux qui vendent des disques, et qui «font» les grandes salles de spectacle! Les procédés d'abrutissement systématique investissent toutes les couches de la société. La radio-portative-à-écouteurs. J'en connais qui ne veulent absolument pas subir la pollution sonore des villes. Qu'est-ce qu'ils font? Ils se promenent dans les rues, les oreilles pleines de sons discordants. La pollution mentale est la pire de toutes! Je suggère aux gouvernements d'instituer un ministère destiné à neutraliser la pollution mentale, par l'exercice d'un droit d'oreille sur tout ce qui s'enregistre. Ce serait de la dictature. Je l'admets. Cela dit, sur la confusion qui assimile chanson et poésie, je reviens à celle qui présuppose que l'acte poétique n'est réalisable qu'à partir de la révolte.

Sous prétexte de ne pas verser dans le mièvre et l'eau de rose, des poéticailleurs ont établi, comme base de toute création, le sentiment de la révolte. Le tapage politico-poétique, l'amphigouri à gonocoques, est chez certains qui se proclament intellectuels de pointe, l'interrogation perpétuelle du langage, (il s'agit plutôt d'une désacralisation délibérée du verbe! Non, l'écriture automatique n'est pas un produit de haute culture: elle n'oxygène pas! L'excès, la cohue, la compression verbale ne peuvent déboucher sur l'esthétique. Car la poésie est esthétique — ou elle y conduit! Ce n'est pas affecter un souverain dédain à l'égard de la commune humanité que de se retrancher pour se livrer à une élaboration poétique du verbe humain. Ce serait davantage par amour pour l'humanité. C'est en s'élevant un tant soit peu au-dessus des contingences banales que l'on touche terre — nos ligaments terrestres ont plus de chances de rejoindre les autres, parce qu'ils sont constamment aérés. Nous avons besoin d'air! Ceux qui pensent que l'écriture contradictoire est la seule qui soit percutante font de la camelote folklorique, inventant la quincaillerie apocalyptique. Ils adorent se perdre dans l'abîme de leur propre néant. Imagine-t-on un éducateur responsable et désireux de l'harmonie intérieure des enfants qui lui sont confiés, préconiser le tumulte, l'immondice langagière? Je ne pense pas que les parents se réjouiraient de cette bâtarde pédagogie! J'ai lu récemment dans un livre[1] cet axiome de l'écriture, lequel prête à réflexion: «Pour notre part, aux charmes de la poésie vieillissante,

---

1. Brindeau, Serge et Jean Breton, *Le Manifeste de l'homme ordinaire*, Paris, Le Cherche-Midi, éditeur, Coll. Points fixes, 1982, 198 p.

nous préférons les Pensées d'un barman.» Suit le texte du remplisseur de verres. Est-ce possible? Non pas les *Pensées* de Pascal, les *Maximes* de Chamfort ou celles de La Rochefoucauld, les réflexions de Valéry ou encore celles de Maurois. Non: celles d'un barman! Les auteurs de ce livre terminent la citation par ces mots: «Comportons-nous en témoins corrects. Une expression vivante, c'est le moyen, par la création, d'aller au-devant du vrai». Écrire cela, c'est faire dire aux mots le sens qu'on leur prête, l'intention dont on les charge. En soi, l'idée n'est pas mauvaise: aller au-devant du vrai, par une expression vivante. Toutefois, qu'entendons-nous par «expression vivante»? La perception sensorielle immédiate, et redite sans transmutation indispensable? L'émotion éjectée sous une forme expédiée? C'est prétendre, d'une façon sous-jacente, que les grandes oeuvres littéraires sont condamnées à s'empoussiérer dans les bibliothèques, parce qu'elles ne seront pas d'actualité observable. À lire les pensées d'un barman, je me rends compte que les *Fables* de La Fontaine ou les *Contes* de Perrault sont plus près de moi, par leur contenu, que l'énoncé insane d'un barman contemporain, qui ne m'apprend absolument rien, qui ne fait que répéter ce qui est facilement décelable dans la réalité journalière! Et parfaitement inutile — il ne m'enrichit pas plus qu'il ne m'enseigne quoi que ce soit!

Les livres ne sont pas des choses momifiées: il n'y a que des intelligences atrophiées, que des sensibilités émoussées par la facilité, que des mémoires étouffées par des couches de slogans! Il n'est nullement nécessaire, pour écrire, de puiser dans ce que l'on appelle l'«actualité». Les thèmes lumineux sont dans l'homme. Le poète, ou le romancier, peut former le cadre de son dire, par des emprunts à la réalité. En somme: le poète parle de l'homme éternel, identique sous toutes les latitudes. Pareil partout! Avec ses sentiments et ce qui actionne sa conduite. Est-ce à dire que n'importe qui peut représenter dans sa totalité l'homme éternel? Est-ce l'homme ordinaire, en dépit du fait qu'il soit dévoré du désir d'«aller au-devant du vrai», qui créera des structures poétiques qui soient susceptibles de toucher le sentiment esthétique du lecteur en même temps qu'elles embrasent son intelligence et son imagination? Il n'est pas question de snobisme littéraire. Cela relève de vieilles notions qu'une mode démagogique cherche à chasser — le talent et le génie. Je comprends que cela choque le médiocre que l'artiste désire vivre dans la solitude, où il fignole le vers; que cela outrage le «généreux» que le poète ne visite pas les hôpitaux, à la recherche d'émotions vives; que cela estomaque d'indignation l'«engagé» que le faiseur de musique phrasée ne se soucie guère de participer aux manifestations. Je les comprends. Néanmoins, ils se trompent. Et leur erreur découle d'une fausse conception de l'activité créatrice: le monde où oeuvre le poète n'est pas le monde du sens commun. Ce qui ne l'éloigne pas pourtant de la réalité objective. Les poètes authentiques — à l'instar de tous les vrais artistes! — s'intéressent au mode de la connaissance esthétique. Les rapports qu'ils établissent conséquemment avec la réalité de tous les jours sont d'une autre nature. Oublier cette différence fondamentale, c'est porter des oeillères et dénaturer le mode spécifique d'expérimentation individuelle de l'esthétique!

On a exposé aux jeunes, de long comme en large, une vérité élémentaire: on ne vit plus aujourd'hui comme hier. Une fois le clou bien enfoncé, on leur a déclaré qu'on ne s'exprimait plus comme par le passé. De là, on a fait le saut de grenouille: tout ce qui a été fait ne vaut rien: cela ne peut plus être utlile. L'utilitarisme pragmatique de l'environnement socio-culturel entérine cette philosophie. Ce qu'on oublie d'ajouter, c'est que le présent n'existe pas: il est perpétuellement transitoire. Il n'y a de vrai que le passé — et l'avenir. Il faut s'appuyer sur le passé pour bâtir l'avenir — en extirper les beautés qui constituent les modèles, sur les traces desquelles le créateur découvre sa voie... et sa voix! Ce que je dis contrarie ceux qui prônent la vérité dans l'énonciation poétique. Ils voudraient, parce qu'ils sont heureux (ou malheureux?) de s'opposer à ce qui a quelque valeur de pérennité, inciter les jeunes à vulcaniser l'édifice esthétique construit depuis des siècles. Ils sanctionnent ce qui procède de l'anarchie, mère du désordre! Le mécontentement synonyme d'intelligence, de lucidité! Parce qu'ils sont «mal dans leur peau» — ou parce qu'ils ont mal dans leur âme, déchirure occasionnée précisément par leur tumulte conceptuel, ils confirment, argumentation humaniste à l'appui, ce qui s'écarte de la Beauté, du Bien et de la Vérité.

Choix d'aphorismes et d'apophtegmes

Que d'épuisement dans l'incohérence: l'intoxication langagière n'a jamais oxygéné l'âme!

* * *

On préfère jeter le discrédit sur un auteur dont on ne comprend pas le caractère esthétique de l'écriture poétique.

* * *

La poésie, héritière des valeurs traditionnelles transmises par la philosophie millénaire, conduit à l'équilibre. Celle d'aujourd'hui mène au déséquilibre.

* * *

Le trémoussement et l'agitation mécanique n'enfantent que l'égarement. Aucun delirium verbal n'a jamais développé la consistance intérieure, la cohérence intellectuelle!

* * *

Pressentir la vérité — je le répète: d'abord et foncièrement individuelle — à portée de coeur, d'esprit et d'âme; — et se morfondre dans le réseau de ses propres contradictions, source de cécité morale et mentale. Ce dire qui aspire à l'ellipse, et qui n'est que touffu, profane la Parole.

* * *

La recette pour pondre des chefs-d'oeuvre: incohérence systématique de l'écriture, préconiser des valeurs contre-culturelles destructrices, se rabattre sur son vécu quotidien et livrer en pâture une bonne purée de mots, sans oublier, pour justifier notre formation universitaire, des citations et quelques entourloupettes langagières. Avis aux mythomanes arrivistes!

* * *

On voit que ce ne sont ni le désir de transmettre un message cohérent ni le goût de l'harmonie qui sont les qualités distinctives de la stylisation poétique qui animent les poéticailleurs. Jeter en vrac toutes sortes d'impressions, qu'ils égaient de majuscules, histoire de faire plus intellectuel, voilà leur seul souci.

* * *

À mon avis, lorsqu'on prétend faire de chaque geste une question de style et de morale, on brasse du vent, à partir de fausses bases. Appliquée au don de soi, à l'amour inconditionnel et désintéressé, cette définition serait déterminante dans l'évolution des individus.

* * *

Je ne peux guère douter qu'on soit dégoûté de la culture, quand le locuteur me montre les viscères de son pauvre acquis intellectuel. Son exiguïté intellectuelle va de pair avec sa limitation lexicale. Ce qu'il revendique comme pratique révolutionnaire, pour bien marquer son engagement politique, n'est en réalité qu'un pathétique témoignage d'une sous-culture.

* * *

Pour que le train dans la nuit des sens conduise au clair matin d'enfant de Dieu lavé de toutes souillures, l'homme doit choisir sa destination la plus haute qui soit en lui-même: acquérir son immortalité par l'amour pur et désintéressé! C'est à la lumière des véritables responsabilités individuelles que certains accompliraient leur destin d'hommes et, conséquemment, dans leur écriture poétique, une oeuvre habile à susciter quelque intérêt chez le lecteur raffiné.

* * *

Parce que reliée de toutes ses fibres au champ socio-culturel qui la détermine et qu'elle influence, l'écriture poétique telle que pratiquée par une école de pensée et de pseudo-recherche formelle, m'a obligé de fournir, pour une connaissance lumineuse de sa fonction dans le monde physique visible et invisible, les explications nécessaires à ses origines et à la puissance correspondante qu'elle contient quand elle est utilisée à des fins constructives ou destructives.

* * *

Le déferlement des productions cinématographiques renforcées de signes subtils qui encouragent l'onanisme ou exagèrent les envies, déterminant l'automatisme dans l'exercice de la fonction génitale, une fois transposé dans l'écriture poétique, confère à celle-ci ce même rythme syncopé de l'enchaînement anarchique des propositions. C'est que la pratique strictement corporelle se substitue à la stratégie stylistique: l'énoncé demeure sujet à la fluctuation de l'analogique au digital. Il y aurait eu gain incontestable si l'impression, née de la perspective, avait été canalisée par un effort conscient de transposition esthétique.

* * *

Et quand l'oeuvre poétique s'encanaille de jeux de mots et d'une phraséologie inachevée délibérément, on affiche l'imposture artistique. Pourtant, il est intéressant de noter ici, en rapport direct avec ma formulation à caractère pédagogique de la poésie, que le poème édité illustre la dissolution du pratiquant — celui-là étant la description de celui-ci. Aucune base solide pour construire sa pensée. Ce sont les mots qui transmettent ses tendances; d'abord par leurs signifiés acceptés dans le code dénotatif, ensuite par leurs relations.

* * *

La catharsis oblige à des remaniements considérables; ils préfèrent les charmes de la spontanéité d'élocution. Le langage parlé est tellement chargé d'un relent émotif et à ce point tributaire des circonstances extérieures — la personnalité de l'individu à qui l'on parle, le cadre physique où se déroule la conversation, l'intervention continuelle de la gestualité corporelle porteuse de significations trans-structurales, etc. — qu'on serait en droit de s'attendre d'un produit culturel qu'il soit affranchi des chaînes de la relation humaine ordinaire.

* * *

L'écriture possède un organisme composé de zones particulières d'expérimentation à la fois stylistique, syntaxique, morphologique et sémantique. Les parties génitales ou réceptacle de l'énergie qui catapulte sont d'ordre sémantique: c'est dans une représentation signifiante que l'acte d'écrire puise son inspiration et sa justification.

* * *

Quand l'écriture devient pharmacie distributrice de sparadraps destinés à cacher les blessures purulentes, complaisamment entretenues par tout ensemble le souci de se distinguer et l'attirance invisible du malsain, il vient un moment où, sous la pression incoercible du bouillonnement intérieur nourri d'un affolement intellectuel, des brèches s'ouvrent; on lâche alors son hurlement qui, en passant, nous brûle les lèvres.

* * *

Voilà souvent ce qui se produit: une quête douloureuse d'autonomie intérieure, une recherche acharnée d'indépendance émotionnelle, d'un côté; de l'autre, un instinct vital qui propulse l'être vers l'enjeu de son désir secret. Vouloir se fondre dans l'autre et se réserver une marge d'action intime. Alors que c'est dans le renoncement de soi qu'on parvient à la plus haute réalisation de soi-même.

* * *

Certains noircissent du papier pour le simple plaisir de se laisser traîner dans les méandres de leur verbe. Quant au code de signes qu'ils inventent pour se donner une contenance, il n'ajoute ni n'enlève rien. Plutôt: il greffe de possibles (qui ne sont pas de nécessaires possibilités!) interprétations parallèles. Le cercle de lecteurs se restreint et le contenu (s'il y en a un!) ne demeure accessible qu'aux seuls initiés.

* * *

À mes yeux, la pratique critique s'inspire des critères de jugements sûrs. Ceux que j'ai définis tout le long de ces réflexions ont fait leur preuve: une philosophie métaphysique *millénaire* les approuve et les enveloppe d'assurance. La recherche du Beau, du Bien et du Vrai — modelée dans la forme suave d'un dire lucide qui s'apparente à la Parole, dont il dérive, où il s'abreuve. La pratique critique doit faire oeuvre de vérité!

* * *

L'homme contemporain a perdu sa mentalité de fils de la lumière, d'enfant de la structure divine absolue. Empêtré dans un matérialisme qui l'obnubile, il sécrète une moisissure aux articulations intellectuelles: la loupe rivée aux trous de serrure des alcôves, dans un morbide éclairage freudien, il ne s'intéresse qu'à ses pulsions instinctives, d'où l'intérêt qu'il porte à tout ce qui relève de l'incohérence et de la cacophonie.

* * *

À mon avis, la poésie du bidet ne réclame point des nageurs de fond. Un regard éclaire sur la région où évolue (je dirai plutôt: dégénère!) un individu. Qu'il se livre aux confidences qui dégradent n'embellit en rien son écriture. Mon unique objectif n'est pas qu'il faille aspirer à acquérir l'immortalité temporelle par la construction d'une oeuvre d'art; cependant, si l'on affiche le désir de récidiver culturellement, le lecteur peut revendiquer des oeuvres qui renforcent son sentiment de baigner dans ce qui fait l'art: le Beau, le Vrai et le Bien.

* * *

Certains touchent du doigt le centre névralgique de leur démarche: la glaire juteuse. Dans l'expérience quotidienne et dans leurs laborieuses et malheureuses tentatives de scripteur. Salles de cinéma enfumées, cagibi gonflé d'ombres nauséeuses, réminiscences d'adolescent onaniste sont la trame de leur écriture: elle enfonce le lecteur dans des corridors où s'extériorisent vulgairement des inhibitions. Leurs descriptions, qui n'ont pour seul mérite que leur fidélité à l'orthographe conventionnelle, ne peuvent charmer que les analphabètes du littéraire: ceux qui célèbrent la hachure du verbe et ne jurent que par la cataracte d'anglicismes!

* * *

L'emploi de l'espace blanc symbolique, le recours à la parenthèse, des mots qui adoptent un caractère typographique particulier, truc destiné à accrocher l'attention (comme si leur sens ne suffisait pas en soi pour nous révéler leurs significations fondamentales), des lignes entières soulignées, des mots partagés en syllabes séparées — et, surtout, une insignifiance dérisoire du fond qui va de pair avec une tentative d'originalité qui dissimule, tout au plus, une mentalité banale, sans envergure — constituent les armes suprêmes de l'arsenal de certains poètes.

* * *

L'analyse superficielle de pointe voudrait bien confiner le chercheur dans le cagibi de la textualité observable, indépendamment de la portée des paroles prononcées; toutefois, une étude avertie renseigne sur le monde familier du pratiquant. L'unique question qui se pose, sur ce plan, est de savoir à quel degré de vibrations oeuvre un individu. La sonde de l'investigation introduite, on débouche sur des observations qui instruisent sur la mentalité de celui qui s'exprime dans une forme accessible intellectuellement. Souvent, la pratique de la détérioration des langages, cette opération d'éclatement, révèle à celui qui scrute et dépouille l'oeuvre de ses artifices une inaptitude à vivre. Et la tentative d'épanchement poétique ne consigne qu'un mal-être, ce qui explique le caractère particulièrement outrancier du dire. L'avorton s'exerce toujours à des sparages; le pygmée du verbe arbore des intentions de géant qu'il ne peut incarner.

* * *

On sent, à travers l'écriture kaléidoscopique, le désir de passer à l'énonciation signifiante. Cependant, l'intensité émotionnelle, quel que soit le mobile profond qui amène à écrire, si elle n'est pas enrichie d'une formation grammaticale et syntaxique solide, ne pourra jamais engendrer d'oeuvre d'art de qualité. Cela est le critère de ma démarche, au niveau du langage. De même, les plus nobles sentiments, s'ils ne se coulent pas dans un mode rigoureusement esthétique, ne produisent pas nécessairement des résultats définitifs. Il faut un entraînement préparatoire en fonction d'un idéal à atteindre. D'où l'impérieuse nécessité de la décantation, opération alchimique émotionnelle et technique. Cette étape de purification franchie, la Parole nous visite et donne forme aussi bien exquise que suave au dire. Pousser un cri n'a jamais guéri personne de sa plaie. Hurler son désespoir ne l'a jamais transmué!

* * *

Quand on accepte le principe premier de la Poésie comme pont entre le visible et l'invisible, quand on l'envisage comme moyen privilégié de communication d'essentielles expériences intérieures pour accélérer le processus de développement des hommes et des femmes vers le meilleur d'eux-mêmes, on demeure stupéfait devant certains énoncés présumément poétiques, lesquels ne sont que crachats sur le mur de la culture. On a décidément perdu de vue ou occulté certaines vérités fondamentales, à savoir que la culture, ou l'éducation nationale, est la base d'une civilisation morale et intellectuelle. La plupart de ces «poéticailleurs» ne veulent plus entendre parler de ces principes. Et le résultat de ce refus: des oeuvres totalement désincarnées.

* * *

La poésie doit expurger les déchets du quotidien pour en offrir, une fois bien dégagée du paradoxe, la quintessence; que la poésie est concision, fermeté et clarté dans sa forme; la poésie doit utiliser ce que le langage journalier offre d'éléments pour mieux cerner la substance des êtres et des choses; la poésie est la Parole de l'âme qui s'emploie à construire son corps de gloire — et non cet acharnement complaisant à sécréter les latrines des limitations corporelles. La poésie élève, grandit, force la conscience à atteindre le noyau de l'être, à parvenir à la cime de l'expression déliée. La poésie est une forme d'activité artisanale, c'est-à-dire qu'elle implique broderie et coeur à l'ouvrage ainsi que décapage systématique. La poésie couvre les déficits humains, arrondit les angles de la langue vernaculaire, nivelle les reliefs d'une sensibilité d'écorché. La poésie propose à l'homme et à la femme de s'acheminer vers l'authentique libération intérieure, par la découverte des potentialités que seule actualise une Parole soumise à l'arcane du labeur.

* * *

À mon avis, les crachats poétiques ne devraient jamais trouver place sur les rayons des librairies: la disponibilité matérielle d'une plaquette lui confère toujours, aux yeux du profane, une sorte de reconnaissance. En outre, ce genre de divagation automatique trouve le lecteur stupéfait: est-ce possible qu'on en soit à baragouiner son malheur, alors qu'on aspire à une certaine culture? À moins qu'il ne s'agisse là de contre-culture. Et pourquoi pas? L'écriture est à tout le monde; chacun peut et doit s'exprimer. Quand on conçoit (pas tellement en profondeur!) la poésie sous cet aspect démagogique d'accession facile, on aboutit à l'embrouillamini, à la confusion. En plus, je veux rétablir l'acte d'écrire dans sa perspective initiale: créer le Beau, le Bien et le Vrai — dans la lignée philosophico-métaphysique de l'intention aristotélicienne originale!

* * *

Conclusion

En matière de conclusion, j'aimerais d'abord évoquer la postulation fondamentale de l'écriture poétique esthétique: l'axe triple de toute pensée authentiquement créatrice — le Vrai, le Bien et le Beau — doit justifier les modèles profonds de l'acte d'écriture. Seule cette conceptualisation préalable confère une totalité organique à l'oeuvre poétique.

Ensuite, que l'on me permette de formuler un souhait de frère dans la lumière enclose en le verbe humain: que les poètes soient brûlés d'une ferveur sacrée qui les porte à regarder haut, vers l'azur de l'inspiration supra-consciente substantielle.

Et, pour finir, je désire rappeler la nécessité impérieuse d'une connaissance approfondie de l'entité humaine, constituée de deux natures distinctes: animale et divine. Lorsque le poète parviendra à reconnaître objectivement leurs propriétés spécifiques et à utiliser subjectivement leurs potentialités respectives dans l'actualisation d'un énoncé poétique cohérent, il engendrera des productions symboliques véritablement esthétiques. À ce stade de son évolution intérieure, riche de l'intuition mystique de son propre devenir, il aura compris l'humain — et pourra bénéficier du privilège de témoigner.

Bibliographie

Première partie

BACHELARD, Gaston, *La Poétique de la rêverie* Paris. Presses universitaires de France, 1978: 183p.

BEGUIN, Albert, *Création et destinée.* Paris, Seuil: 317p.

BELAVAL, Yvon, *La Recherche de la poésie.* Paris, Gallimard: 186p.

BREMOND, Henri, *Prière et poésie.* Paris, Grasset, 1926; 221p,

BURGOS, Jean, *Pour une poétique de l'imaginaire.* Paris, Seuil, 1982: 409p.

CAILLOIS, Roger, *Approches de la poésie.* Paris, Gallimard, 1978: 261p.

CAZELLES, Henri, *Ecriture, parole et esprit* ou*Trois aspects de* l'herméneutique biblique. Paris, Desclée, 1971; 176p.

CHARPIER, Jacques, *L'Art poétique.* Paris, Seghers, 1956: 715P.

COLENO, Alice, *Les Portes d'ivoire. Métaphysique et poésie.* Paris, Plon, 1948; 242p.

DELAS, Daniel, *Linguistique et poétique.* Paris, Larousse, 1973: 206p.

DERRIDA, Jacques, *L'Ecriture et la différence.* Paris, Seuil, 1967: 436p.

des MARCHAIS, Gilles, *La Grammacritique. Postulats préliminaires pour une théorie de la critique des textes de littérature* Préface de Claude Vidal. Monographie. Montréal, Leméac, 1965: 128p.

des MARCHAIS, Gilles, «Défense et illustration du québécien» in *Parti Pris* Montréal, vol. 3, n° 6, livraison de Janvier 1966.

des MARCHAIS, Gilles *Mobiles sur des modes soniques.* Ve tranche de *Rimoir.* Poèmes en formes fixes. Montréal, L'Hexagone, 1972: circa 90p.

des MARCHAIS, Gilles, *Ombelles verbombreuses* précédées de *Parcellaires.* (Quelques proses diatexturales et choix de courtes

proses de même venue.) Poèmes en prose. Montréal, L'Hexagone, 1973: 88p.
des MARCHAIS, Gilles, *Poésisoïdes. Essais notes et réflexions sur le poème le poète et la critique.* Montréal, L'Hexagone, 1975: 104p.
des MARCHAIS, Gilles, «De la phonétique à la phonologie d'un idiolecte québécien» in Bibeau, Gilles et al., réd., *Vingt-cinq ans de linguistique au Canada. Hommage à Jean-Paul Vinay par ses anciens élèves.* Montréal, Centre Educatif et Culturel, 1979: 261-290.
des MARCHAIS, Gilles, *Demain d'hier l'antan.* Poèmes en formes vénérables plus, en annexe, un choix de quelques pièces, récentes ou presque, en formes moins anciennes. 1ère tranche d'Outre-Rimoir. Coll. Poésie Leméac. Montréal, Leméac, 1980: 182p.
des MARCHAIS, Gilles,«Du théâtre sans scène», présentation de Gagnon, Jean, *Les Vaches sont de braves types.* Théâtre radiophonique. Coll Théâtre/Leméac no 90. Montréal Leméac 1981: 7-28
des MARCHAIS, Gilles, «Deux personnages en quête d'auteur», présentation de Dagenais, Pierre, *Isabelle.* Coll, Théâtre/ Leméac, no 91. Montréal, Leméac, 1981; VII-XXIII.
des MARCHAIS, Gilles, «D'Hiroshima à l'ordinateur» in *La Tribune,* Sherbrooke, QC livraison du 11 mars 1984, cahier B: 2.
des MARCHAIS, Gilles,«Avez-vous lu Shakespeare... en trahison?»- in *Passages,* organe de l'association des auteurs des Cantons de l'Est (AACE). Sherbrooke, no 4, livraison de l'automne 1984: 43-47.
des MARCHAIS, Gilles, *Cantata pro Amabile soit l'amour hors saison.* Poèmes en formes fixes. Verdun (QC), Louise Courteau, éditrice, 1984: 176p.
DIEGUEZ, Manuel de, *Essai sur l'avenir poétique de Dieu.* Paris, Plon, 1965; 319p.
ECO, Umberto, *L'Oeuvre ouverte.* Paris, Seuil, 1965: 315p.
ECO, Umberto *Structure absente.* Paris, Mercure de France, 1972: 447p.
ELIOT, Thomas Stearns, *De la poésie et de quelques poètes.* Paris, Seuil, 1961: 250p.
EMMANUEL, Pierre, *Le Goût de l'un.* Paris, Seuil, 1963: 263p,
EMMANUEL, Pierre, *Poésie raison ardente.* Paris, Egloff, 1948: 280p.
ETIEMBLE, René, *L'Ecriture.* Paris, Gallimard, 1973: 160p.
GASPARD, Lorand, *Approche de la Parole.* Paris, Gallimard, 1978; 148p.

JACCOTTET, Philippe, *L'Entretien des muses; chroniques de poésie.* Paris, Gallimard, 1968; 313p.
JAKOBSON, Roman, *Huit questions de poétique.* Paris, Seuil, 1978: 188p.
KRISTEVA, Julia, *Langue, discours, société.* Paris, Seuil, 1975: 400p.
KRISTEVA, Julia, *Recherches pour une sémanalyse.* Paris, Seuil, 1969: 379p.
KRISTEVA, Julia, *La Révolution du langage poétique: l'avant-garde à la fin du XIXe siècle, Lautréamont et Mallarmé.* Paris, Seuil, 1974: 645p.
MERCANTON, Jacques, *Poètes de l'univers.* Paris, Skira, 1947: 229p.
MONTIFROY, Berthin, *Langage et Poésie.* Paris, Triades, 1979: 95p.
MOUNIN, Georges, *Camarade poète.* Paris, Galilée, 1979: 169p.
POUND, Ezra Loomis, *Au coeur du travail poétique.* Paris, Editions de l'Herne, 1980: 452p.
SIDNEY, Sir Philip, *Un plaidoyer pour la poésie.* Québec, Presses de l'Université Laval, 1965: 181p.
SOLLERS, Philippe, *L'Ecriture et l'expérience des limites.* Paris, Seuil, 1971: 190p.
VIVIER, Robert, *Frères du ciel. Quelques aventures poétiques d'Icare et de Phaéton.* Bruxelles, Renaissance du livre, 1962: 190p.
WALTZ, René, *La Création poétique.* Paris, Flammarion, 1950: 279p.

Deuxième partie

APOLLINAIRE, Guillaume, *Poèmes à Lou* précédés de *Il y a.* Paris, Gallimard, 1969: 251p.
APOLLINAIRE, Guillaume, *Poésies libres.* Paris, J. S. Pauvert, 1978: 126p.
ARAGON, Louis, *Les dieux et autres poèmes.* Paris, Temps actuel, Messidor, 1982: 209p.
ARAGON, Louis, *Les Chambres. Poème du temps qui ne passe pas.* Paris, Editeurs français réunis, 1969: 107p.
ARAGON, Louis, *Elégie à Pablo Néruda.* Paris, Gallimard, 1966: 37p.
ARAGON, Louis, *Il ne m'est Paris que d'Elsa.* Paris, Seghers, 1975 150p.
ARAGON, Louis, *L'Oeuvre poétique tome 1: 1917-1920* Paris, Livre Club Diderot, 1974: 281p.

ARAGON, Louis, *L'Oeuvre poétique, tome 2: 1921-1925*. Paris, Livre Club Diderot, 1974, 347p.
ARAGON, Louis, *L'Oeuvre poétique, tome 3: 1926*. Paris, Livre Club Diderot, 1974: 397p.
ARAGON, Louis, *L'Oeuvre poétique, tome 4: 1927-1929*. Paris, Livre Club Diderot, 1974; 407p.
ARAGON, Louis, *L'Oeuvre Poétique, tome 5: 1930-1933*. Paris, Livre Clud Diderot, 1975: 449p.
ARAGON, Louis, *L'Oeuvre poétique, tome 15: 1964-1979*. Paris, Livre Club Diderot, 1981: 522p.
BRETON, Stanislas, *Ecriture et révélation*. Paris, Cerf, 1970; 170p;
CESBRON, Gilbert, *Merci l'oiseau*. Paris, Laffont, 1976: 199p.
CHAR, René, *Aromates chasseurs*. Paris, Gallimard, 1975; 40p.
CHAR, René, *Chants de la Balandrane*. Paris, Gallimard, 1977; 80p.
CHAR, René, *Choix de textes*. Paris, Seghers, 1961; 205p.
CHAR, René, *Fenêtres des mantes et porte sur le toit*. Paris, Gallimard, 1979; 94p.
CHAR, René, *Les Matinaux*. Paris, Gallimard, 1950; 99p.
CHAR, René, *Le Nu perdu*. Paris, Gallimard, 1971; 137p.
CLANCIER, Georges-Emmanuel, *Oscillante parole*. Paris, Gallimard, 1978; 116p.
CLANCIER, Georges-Emmanuel, *Terres de mémoire* suivis de *Vrai visage*. Paris, Laffont, 1965; 278p.
CLANCIER, Georges-Emmanuel, *Une voix*. Paris, Gallimard, 1956; 181p.
CLAUDEL, Paul-Louis-Charles-Marie, *Oeuvre poétique*. Paris, Gallimard, 1957; 1026p.
ELUARD, Paul, *Choix de poèmes*. Paris, Gallimard, 1951; 440p.
ELUARD, Paul, *Derniers poèmes d'amour*. Paris, Seghers, 1966; 190p.
ELUARD, Paul, *Dignes de vivre*. Paris, Portes de France, 1947; 135p.
ELUARD, Paul, *Le Livre ouvert*. 1983-1944. Paris, Gallimard; 192p.
ELUARD, Paul, *Une longue réflexion amoureuse*. Paris, Gallimard Seghers, 1978; 67p.
ELUARD, Paul, *Poésie interrompue*. Paris, Gallimard, 1969; 155p.
SUPERVIELLE, Jules, *Choix de poèmes*. Paris, Gallimard, 318p.
TARDIEU, Jean, *Le Fleuve caché*, 1938-1961. Paris, Gallimard, 1968; 254p.
TARDIEU, Jean, *La Part de l'ombre* suivie de *La première personne du singulier* et de *Retour sans fin*. Paris, Gallimard, 1972; 221p.

Chez Louise Courteau, éditrice inc.

MUSIQUE

LA PETITE HISTOIRE DE L'O.S.M.
Agate de Vaux

«À l'occasion du 50ème anniversaire de l'O.S.M., un livre passionnant sur l'histoire et les petites histoires de l'Orchestre Symphonique de Montréal, abondamment illustré de photos anciennes et récentes».
192 pages 14.95$

LES GESTES ET LA PENSÉE DU PIANISTE
Paul Loyonnet

«Ce livre est le testament pianistique de celui qui fut l'un des plus grands artistes du siècle. Un outil absolument indispensable pour tous les pianistes, illustré de photos sur la position des mains et de nombreux exemples musicaux».
228 pages 29.95$

TRISTAN ET ISEUT de Richard Wagner
Traduit et adapté par Jean Marcel
Illustrations de Mikie Assif
Préface de Charles Dutoit
74 pages 29.95$

TRISTAN ET ISEUT
Édition de luxe en coffret estampé or
Exemplaires numérotés de 1 à 100 signés par les auteurs
74 pages 150$
(Vendu exclusivement par la maison d'édition)

LES 24 ÉTUDES DE CHOPIN
Monique Deschaussées

«Après avoir évoqué le climat poétique de chaque étude, Monique Deschaussées analyse tous les problèmes physiques inhérents à l'écriture de Chopin et donne à chaque fois les moyens de résoudre les difficultés les plus ardues afin de pouvoir enchaîner les 24 études sans aucun problème».
162 pages 29.95$

SERGE GARANT ET LA RÉVOLUTION MUSICALE AU QUÉBEC
Marie-Thérèse Lefebvre
Biographie et anthologie des écrits (de 1954 à 1984) de l'un des plus fameux compositeurs canadiens du XXème siècle: Serge Garant.

LES PAMPHLÉTAIRES

LE JOUAL DE TROIE

Jean Marcel

«Pour ceux qui enseignent le français, un pamphlet passionnant et percutant».

(Prix France-Québec Jean-Hamelin 74)

358 pages 9.95$

LES MÉDISANCES D'UN PROFESSEUR SOLIDAIRE

Viateur Beaupré

«L'auteur donne son avis sur l'enseignement, les syndicats d'enseignements et le gouvernement».

196 pages 9.95$

POÈTES OU IMPOSTEURS?

Michel Muir

«L'auteur dénonce l'imposture de l'écriture poétique de certains écrivains publiés par les Herbes Rouges dans les années 70».

176 pages 12.95$

PLAIDOYER POUR UNE PAROLE VIVANTE

Michel Muir

L'auteur estime que l'Homme et la Femme réclament une nourriture spirituelle qui, sur le plan esthétique, exige des structures établies par un effort soutenu. Ennemi de la médiocrité, Muir proclame la nécessité d'un redressement individuel».

12.95$

ÉSOTÉRISME

ILS ONT VU L'AN 2000

Gilles Aussant & Robert Lemieux

«Projetés sous hypnose, 4 sujets racontent ce qu'ils voient de 1983 à l'an 2000. UN BEST-SELLER TOUJOURS D'ACTUALITÉ.»

154 pages 9.95$

CONTACT 158

François Bourbeau

«La saisissante histoire de Monsieur X, contacté par des extraterrestres. Une enquête de François Bourbeau.»

204 pages 8.95$

CHÈRE MICHELLE

Hilarion

«Hilarion est un être spirituel situé à un niveau beaucoup plus élevé que le nôtre. Maurice B. Cooke a servi de canal de transmission entre lui et le lecteur. Un livre qui doit être mis entre les mains de tous les jeunes.»

58 pages 4.95$

LES ÂGES DE L'ESPRIT
Hilarion

«Certains anthropologues soutiennent que l'humanité existait bien longtemps avant que l'Histoire ne s'écrive. Ce livre offre d'étonnantes révélations à ce sujet.»

138 pages 9.95$

VIVRE, UN MÉTIER QUI S'APPREND
Jean-Louis Victor

«Dans un livre à la portée de tous, apprenons le tout premier métier du monde: Celui de vivre...»

86 pages 7.95$

LA RÉINCARNATION DÉVOILÉE
Jean-Louis Victor

«Le rôle et l'importance de la réincarnation.»

206 pages 9.95$

LE GRAND MONARQUE, MESSAGER DU VERSEAU
Maurice Poulin

«L'auteur a découvert les clés de l'oeuvre de Nostradamus concernant le Québec. Des révélations saisissantes qui nous concernent tous.»

240 pages 12.95$

LE RETOUR DES ATLANTES
Claude-Gérard Sarrazin

«En lisant ce roman initiatique, il est possible que des souvenirs de l'Atlantide surgissent en vous.»

158 pages 9.95$

ÊTES-VOUS ATLANTE?
Claude-Gérard Sarrazin & Stéphane Prévost

«Les dépositaires des derniers secrets de l'Atlantide se sont déjà réunis, et leurs souvenirs ont permis de préparer cet ouvrage initiatique. Ce livre vise à réveiller l'énergie de pouvoirs spirituels latents.»

232 pages 12.95$

LE LIVRE DU TAROT
Kris Hadar

«La clé de l'évolution de l'homme contenue dans le Tarot de Marseille est maintenant retrouvée, et LE LIVRE DU TAROT apporte des connaissances encore inédites.»

240 pages 19.95$

LA CONSPIRATION COSMIQUE
Stan Deyo

«L'auteur traite du phénomène OVNI comme aucun ne l'a fait avant lui: Un livre qui dévoile l'énorme machination qui nous frappe à l'échelle mondiale. Après la lecture de ce livre, vous aurez en main toutes les armes pour déjouer la Conspiration Cosmique.
CE LIVRE EST UNE BOMBE!»
328 pages 17.95$

SPIRITUALITÉ

DU REFLET À L'AMOUR
Madeleine Vilaudy

«Textes de réflexions sur le Grand Principe de l'Amour».
112 pages 7.95$

DOSSIERS

LE PIVOT
Bernard le Régent

«Pour bien saisir les enjeux de la réforme scolaire».
64 pages 4.95$

DONALD LAVOIE TUEUR À GAGES
Carole de Vault & Richard Desmarais

«La fascinante histoire de l'un des criminels les plus connus du Québec, racontée par deux journalistes qui ont assisté à tous les procès de l'affaire Dubois».
236 pages 9.95$

L'ÉTHIOPIE SE MEURT MAIS RENAÎTRA
Francine Dufresne

«Au retour d'un voyage dans une Éthiopie sinistrée, l'auteur exhale sa révolte et rugit devant ce génocide qui crève les yeux».
94 pages 6.95$

MISEZ MIEUX À LA LOTERIE...
Éric Martin

«Comment mieux miser à la loterie et augmenter ses chances de gagner...»
92 pages 5.95$

ROMANS

LES NOCES DE BEC EN OR

Maurice-Hilaire Jean-Gilles

«Dans son pays, Bec-en-Or fut une légende de son vivant. Le premier roman d'un auteur martiniquais».

292 pages 9.95$

AIMÉE, MON ENFANT, MON AMOUR

François Bilodeau

«Témoin de la mort de sa fillette de 3 ans et demi, Françoise Decourcy se réfugie dans l'ivresse de la folie. Une profonde réflexion pour celles qui souffrent encore d'avoir trop aimé».

110 pages 8.95$

POÉSIE

CANTATA PRO AMABILE

Gilles des Marchais

176 pages 9.95$

LA POLOGNE COMME EN NOUS-MÊMES

Pierre Mathieu

96 pages Épuisé

CRI-LUMIÈRE

Pierre Mathieu

88 pages Épuisé

NELLIGAN N'ÉTAIT PAS FOU

Bernard Courteau

«Mort dans une institution psychiatrique, le poète Émile Nelligan n'était pourtant pas fou. Que lui est-il donc arrivé? Qui avait intérêt à ce que Nelligan passe pour un fou? Toute la vérité sur la santé mentale du poète, presque 50 ans après son décès».

Achevé d'imprimer à Montmagny
par les travailleurs des ateliers Marquis Ltée
en juillet 1986